galáxias

haroldo de campos

galáxias

3ª edição revista
organização de trajano vieira
inclui o cd *isto não é um livro de viagem*

editora 34

O texto da presente edição foi adaptado às normas do Acordo Ortográfico da Língua Portuguesa, com a permissão dos herdeiros de Haroldo de Campos, porém preservando-se toda grafia heterodoxa de caráter autoral, como a dos neologismos e das palavras que receberam acento diferencial forçado. A bibliografia ao final do volume foi também atualizada.

EDITORA 34

Editora 34 Ltda.
Rua Hungria, 592 Jardim Europa CEP 01455-000
São Paulo - SP Brasil Tel/Fax (11) 3811-6777 www.editora34.com.br

Edição conforme o Acordo Ortográfico da Língua Portuguesa.

Imagem da capa:
Mira Schendel, Sem título *(objeto gráfico), 1972, letraset e acrílico, 95 x 95 cm, coleção Clara Sancovsky, São Paulo (fotografia de Felipe Reis)*

Capa, projeto gráfico e editoração eletrônica:
Bracher & Malta Produção Gráfica

Revisão:
Gênese Andrade
Trajano Vieira

1ª Edição - 1984 (Ex Libris, São Paulo),
2ª Edição - 2004, 3ª Edição - 2011 (2ª Reimpressão - 2021)

Catalogação na Fonte do Departamento Nacional do Livro
(Fundação Biblioteca Nacional, RJ, Brasil)

Campos, Haroldo de, 1929-2003
C386g Galáxias / Haroldo de Campos;
organização de Trajano Vieira; inclui o CD
Isto não é um livro de viagem — São Paulo:
Editora 34, 2011 (3ª Edição).
128 p.

Inclui bibliografia.

ISBN 978-85-7326-300-8

1. Literatura brasileira contemporânea.
I. Vieira, Trajano. II. Título.

CDD - 869.1B

sumário

nota à 2ª edição

Esta edição das *galáxias* tem como texto-base a primeira edição integral da obra, publicada pela editora Ex Libris em 1984. O próprio Haroldo de Campos chegou a rever parcialmente as provas para esta 2ª edição, introduzindo algumas poucas alterações, aqui incorporadas. O texto passou ainda por outra revisão, que contou com a colaboração prestimosa de Gênese Andrade. O projeto original previa a possibilidade de múltiplas ordens de leitura dos fragmentos. Por esse motivo, as páginas das *galáxias* foram mantidas sem numeração.

Várias traduções do livro têm sido realizadas nas últimas décadas. Nesse sentido, sem pretender apresentar um elenco exaustivo desses trabalhos, mas apenas com o intuito de ampliar a nota preparada anteriormente por Haroldo de Campos (ver final deste volume), cabe mencionar a versão integral francesa, levada a cabo por Inês Oseki-Dépré e pelo autor, com prefácio de Jacques Roubaud (La Main Courante, 1998), ganhadora do Prêmio Roger Caillois 1999. Héctor Olea verteu para o espanhol sete fragmentos (publicados inicialmente em *Espiral*, Madrid, nº 42, 1978), entre os quais os formantes inicial e final, republicados posteriormente em *Transideraciones/Transiderações* (organização de Eduardo Milán e Manuel Ulacia, Ediciones El Tucán, 1987; 2ª ed., 1999). Também para o espanhol, Néstor Perlongher traduziu o fragmento "circuladô de fulô", que se encontra em *Medusario* (organização de Roberto Echavarren, Fondo de Cultura Económica, 1996). A revista italiana *Baldus* (v. 6, nº 5, 1996), encabeçada pelo poeta Lello Voce, publicou um fragmento traduzido por Daniela Ferioli e dois por Aurora Fornoni Bernardini e Andrea Lombardi.

A presente edição traz reprodução de uma página do datiloscrito/manuscrito original e, como pretendia Haroldo de Campos, inclui o cd *isto não é um livro de viagem*, em que o poeta lê 16 textos das *galáxias*, acompanhados de notas explicativas que elaborou quando o disco foi originalmente lançado, em 1992. O volume traz ainda nota biográfica e bibliografia do autor, elaboradas especialmente para esta edição.

Trajano Vieira
junho de 2004

neckarstrasse neckartalstrasse neckartor e há também uma schillerstrasse
e uma schillerplatz onde uma estátua de schiller erected in 1839 known
as the most magnificent of its kind in honor of the great poet passando
por debaixo do arco entre vidros de tabacaria e a praça é uma nata de
~~neve~~ prata ao senhor bibliotecário scardanelli tocando num piano sem cordas
cortara as cordas ninguém honora aqui de sua janela vacante dando para
o neckar o quartinho na casa do ~~moveleiro~~ marceneiro zimmer ou como se chamava
não muito longe daqui num ~~avesso~~ revés de tempo a gargalhada de schiller
estala entre goethe e voss tua fala se turva de vermelho ou o homem está
louco ou se faz de voss escrevendo foi durante o ~~serão~~ jantar na casa de goethe
você precisava ver como schiller ria e eu então propus aquela frase
uma achega à teoria das côres ismênia falando du scheinst ein rotes wort
zu färben pela voz de sófocles pela voz de hoelderlin schiller rindo
herr hoelderlin estaria maluco ou se fingia de pois sófocles só queria
dizer tu pareces preocupada com algo ismênia a antígone pela voz de
sófocles um dos mais burlescos produtos do pedantismo aquela fala tinta
de vermelho do senhor hoelderlin e no entanto e no emtempo e no intenso
o mar purpurescia em kalkhaínos epos polipurpúreo mar de fúria
polivermelho mar guerreiro em velo de procela em vento de tormenta em
esto de tempesta o mar o mar grego okeanos para o ouvido de hoelderlin
a gargalhada de schiller gela na schillerplatz o vermelho enfurece a
~~palavra~~ fala de ~~ismênia~~ e rajave rasga e refrega kalkhaínos o mar ~~antes~~
da tempestade isto sófocles desdizia no dito redizendo e cabe aqui por
que descabe aqui pois tudo o que é lido e lendo é visto e vendo é ouvido
e ouvindo cabe aqui ou desaqui cabe ou descabe pois é vida é também matér
de vida de lida de lido matéria delida deslida treslida tresvivida
nessa via de vida que passa pelo livrovida livro ivro de vida bebida
batida mexida como é vária a vida como o livro é álea na schillerplatz
o pensamento disso zurzido pelo frio só o pensamento disso que se encorpa
e desencorpa como um corpo de nada pois é tão tênue tão trêmula tão
tinnula esta ramagem de estória que sonegada se nega e ao negar-se demora
e bloch ernst bloch octogenário em tübingen es gibt auch rote
geheimnisse in der welt ~~[illegible]~~ sim mistérios vermelhos
no mundo ~~ja [illegible] sim vermelhos~~ só vermelhos
a mão encostando no rosto disse adeus a esmeralda
liquefeita em lumes de magia aqueles olhos e não sabiam nada do
senhor hoelderlin por certo sabiam do ristorante lucia na
schmalestrasse e que no skala kino passava mondo ignudo
~~[illegible]~~ dublado em alemão
não não se dirigia a você mas ao outro numa outra numa
numa outra mágica numa ~~outra~~ ~~[illegible]~~ numa outra parte
numa outra ~~[illegible]~~ compressa
numa outra espreita numa outra ~~[illegible]~~ rede deixar-se
~~nata e prata na schillerplatz plumas de neve~~ solidão
nata e prata prata e nata nata e nada na schillerplat

galáxias

La fiction affleurera et se dissipera, vite,
d'après la mobilité de l'écrit.

Mallarmé

e começo aqui e meço aqui este começo e recomeço e remeço e arremesso
e aqui me meço quando se vive sob a espécie da viagem o que importa
não é a viagem mas o começo da por isso meço por isso começo escrever
mil páginas escrever milumapáginas para acabar com a escritura para
começar com a escritura para acabarcomeçar com a escritura por isso
recomeço por isso arremeço por isso teço escrever sobre escrever é
o futuro do escrever sobrescrevo sobrescravo em milumanoites miluma-
-páginas ou uma página em uma noite que é o mesmo noites e páginas
mesmam ensimesmam onde o fim é o comêço onde escrever sobre o escrever
é não escrever sobre não escrever e por isso começo descomeço pelo
descomêço desconheço e me teço um livro onde tudo seja fortuito e
forçoso um livro onde tudo seja não esteja seja um umbigodomundolivro
um umbigodolivromundo um livro de viagem onde a viagem seja o livro
o ser do livro é a viagem por isso começo pois a viagem é o comêço
e volto e revolto pois na volta recomeço reconheço remeço um livro
é o conteúdo do livro e cada página de um livro é o conteúdo do livro
e cada linha de uma página e cada palavra de uma linha é o conteúdo
da palavra da linha da página do livro um livro ensaia o livro
todo livro é um livro de ensaio de ensaios do livro por isso o fim-
-comêço começa e fina recomeça e refina se afina o fim no funil do
comêço afunila o comêço no fuzil do fim no fim do fim recomeça o
recomêço refina o refino do fim e onde fina começa e se apressa e
regressa e retece há milumestórias na mínima unha de estória por
isso não conto por isso não canto por isso a nãoestória me desconta
ou me descanta o avesso da estória que pode ser escória que pode
ser cárie que pode ser estória tudo depende da hora tudo depende
da glória tudo depende de embora e nada e néris e reles e nemnada
de nada e nures de néris de reles de ralo de raro e nacos de necas
e nanjas de nullus e nures de nenhures e nesgas de nulla res e
nenhumzinho de nemnada nunca pode ser tudo pode ser todo pode ser total
tudossomado todo somassuma de tudo suma somatória do assomo do assombro
e aqui me meço e começo e me projeto eco do comêço eco do eco de um
comêço em eco no soco de um comêço em eco no oco eco de um soco
no osso e aqui ou além ou aquém ou láacolá ou em toda parte ou em
nenhuma parte ou mais além ou menos aquém ou mais adiante ou menos atrás
ou avante ou paravante ou à ré ou a raso ou a rés começo re começo
rés começo raso começo que a unha de fome da estória não me come
não me consome não me doma não me redoma pois no osso do comêço só
conheço o osso o osso buco do comêço a bossa do comêço onde é viagem
onde a viagem é maravilha de tornaviagem é tornassol viagem de maravilha
onde a migalha a maravalha a apara é maravilha é vanilla é vigília
é cintila de centelha é favila de fábula é lumínula de nada e descanto
a fábula e desconto as fadas e conto as favas pois começo a fala

reza calla y trabaja em um muro de granada trabaja y calla y reza y
calla y trabaja y reza em granada um muro da casa del chapiz ningún
holgazán ganará el cielo olhando para baixo um muro interno la educación
es obra de todos ave maria em granada mirad en su granada e aquele
dia a casa del chapiz deserta nenhum arabista para os arabescos
uma mulher cuidando de uma criança por trás de uma porta baixa y reza
y trabaja y calla não sabia de nada y trabaja não podia informar sobre
nada y reza e depois a plazuela san nicolás o branco do branco do
branco y calla no branco no branco no branco a cal um enxame de branco
o branco um enxame de cal pedras redondas do calçamento e o arco branco
contendo o branco a cal calla e o branco trabalha um muro de alvura
e adiante no longe lálonge o perfil vermelho do generalife e a alhambra
a plazuela branca contendo-se contendo-se como um grito de cal e o
generalife e a alhambra vermelhos entre ciprestes negros cariz mudéjar
de granada e agora o cármene de priestley carros parando los guardias
civiles o embaixador inglês fazendo turismo entre as galas do caudillo
e do cármene de priestley sai priestley ou poderia ser para recebê-lo
aparato de viaturas escandalizando a cal calada o embaixador de sua
majestade britânica visita um patrício em granada crianças correndo
fugindo para os vãos das portas e o branco violado a medula do branco
ferida a fúria a alvúria do branco refluída sobre si mesma plazuela
san nicolás já não mais o que fora o que era há dois minutos já rompido
o sigilo do branco arisco árido do cálcio branco da cal que calla
y trabaja y estamos sentados sobre un volcán dissera o chofer no pátio
da cartuja sentados no pátio da alhambra bautizada sob o sol da tarde
esperando que abrissem um vulcão coração batendo em granada e por isso
no muro reza trabaja y calla san bernardo religión y patria e de
novo o albaicín com seus cármenes y glorietas o albaicín despencando
de centenas de miradouros minúsculos sobre a vista da alhambra e do
generalife vermelho recortado de negro escarlate cambiando em ouro
o sol mouro os muros mauros de granada mas o silêncio na plazuela ou
plazeta san nicolás rompido para sempre um minuto para sempre nunca
mais a calma cal a calma cal calada do primeiro momento do primeiro
branco assomado e assomando nos lançando catapulta de alvura alba-
-candidíssima mola de brancura nos jogando branquíssima elástico de
candura nos alvíssimo atirando contra o horizonte rojonegro patamar de
outro horizonte o semprencanecido esfumadonevado da sierra nevada agora
escrevo agora a visão é papel e tinta sobre o papel o branco é papel
yeserías atauriques y mocárabes de papel não devolvem senão a cutícula
do tempo a lúnula da unha do tempo e por isso escrevo e por isso
escravo roo a unha do tempo até o sabugo até o refugo até o sugo e
não revogo a pátina de papel a pevide de papel a cáscara de papel a
cortiça de papel que envolve o coração carnado de granada onde um vulcão
sentados sobre explode e por isso calla y por eso trabaja y por eso

multitudinous seas incarnadine o oceano oco e regougo a proa abrindo um
sulco a popa deixando um sulco como uma lavra de lazúli uma cicatriz
contínua na polpa violeta do oceano se abrindo como uma vulva violeta
a turva vulva violeta do oceano óinopa pónton cor de vinho ou cor de
ferrugem conforme o sol batendo no refluxo de espumas o mar multitudinário
miúdas migalhas farinha de água salina na ponta das maretas esfarelando
ao vento iris nuntia junonis cambiando suas plumas mas o mar mas a escuma
mas a espuma mas a espumaescuma do mar recomeçado e recomeçando
o tempo abolido no verde vário no aquário equóreo o verde flore
como uma árvore de verde e se vê é azul é roxo é púrpura é iodo é de
novo verde glauco verde infestado de azuis e súlfur e pérola e púrpur
mas o mar mas o mar polifluente se ensafirando a turquesa se abrindo
deiscente como um fruto que abre e apodrece em roxoamarelo pus de sumo
e polpa e vurmo e goma e mel e fel mas o mar depois do mar depois do mar
o mar ainda poliglauco polifosfóreo noturno agora sob estrelas extremas
mas liso e negro como uma pele de fera um cetim de fera um macio de
pantera o mar polipantera torcendo músculos lúbricos sob estrelas
trêmulas o mar como um livro rigoroso e gratuito como esse livro onde
ele é absoluto de azul esse livro que se folha e refolha que se dobra
e desdobra nele pele sob pele pli selon pli o mar poliestentóreo
também oceano maroceano soprando espondeus homéreos como uma verde
bexiga de plástico enfunada o mar cor de urina sujo de salsugem e de
marugem de negrugem e de ferrugem o mar mareado a água gorda do mar
marasmo placenta plácida ao sol chocada o mar manchado quarando ao
sol lençol do mar mas agora mas aurora e o liso se reparte sob veios
vinho a hora poliflui no azul verde e discorre e recorre e corre e
entrecorre como um livro polilendo-se polilido sob a primeira tinta
da aurora agora o rosício roçar rosa da dedirrósea agora aurora pois
o mar remora demora na hora na paragem da hora e de novo recolhe sua
safra de verdes como se águas fossem redes e sua ceifa de azuis como
se um fosse plus fosse dois fosse três fosse mil verdes vezes verde
vide azul mas o mar reverte mas o mar verte mas o mar é-se como o
aberto de um livro aberto e esse aberto é o livro que ao mar reverte
e o mar converte pois de mar se trata do mar que bate sua nata de
escuma se eu lhe disser que o mar começa você dirá que ele cessa se eu
lhe disser que ele avança você dirá que ele cansa se eu lhe disser
que ele fala você dirá que ele cala e tudo será o mar e nada será o mar
o mar mesmo aberto atrás da popa como uma fruta roxa uma vulva frouxa
no seu mel de orgasmo no seu mal de espasmo o mar gárgulo e gargáreo
gorjeando gárrulo esse mar esse mar livro esse livro mar marcado e
vário murchado e flóreo multitudinoso mar purpúreo marúleo mar azúleo e
mas e pois e depois e agora e se e embora e quando e outrora e mais e
ademais mareando marujando marlunando marlevando marsoando polúphloisbos

no jornalário no horáriodiáriosemanáriomensárioanuário jornalário
moscas pousam moscas iguais e foscas feito moscas iguais e foscas feito
foscas iguais e moscas no jornalário o tododia entope como um esgoto
e desentope como um exgoto e renova mas não é outro o tododia tododiário
ostra crescendo dentro da ostra crosta fechando dentro da crosta
ovo gorando dentro do ovo e assim reitero zero com zero o mero mero
mênstruo mensário do jornalário jângal de baratas nos canais competentes
onde o tal é qual gânglio de traças nos trâmites convenientes onde o
qual é tal lama de lesmas nos anais recorrentes onde o igual é talqual
e os banais semoventes e os fecais incidentes e os fatais precedentes
mesas de aço resmas de almaço traços de lápis raspas de borracha máquinas
metralham tralhas tralham estraçalham estralham mar morto de esgoto
fossa negra onde o dia rola onde rola o diário bebdomadário onde o dia
cola os cacos iguais os nacos iguais os ábacos iguais os cálculos iguais
nesse infernalário jornalário de miúdas nugas de intrigas tricas de nicas
verrugas il sol tace o sol cala no mictório entre bolas de nafta formol
e soda cáustica o mesmo se repete o mamutemesmo pastando ervas verdoengas
xadrez dos dias iguais de escaques iguais onde o um é o outro jornalário
necrosário mas o livro é poro mas o livro é puro mas o livro é diásporo
brilhando no monturo e o coti diano o coito diário o morto no armário
o saldo e o salário o forniculário dédalodiário mas o livro me salva me
alegra me alaga pois o livro é viagem é mensagem de aragem é plumapaisagem
é viagemviragem o livro é visagem no infernalário onde suo o salário
no abdomerdário dromerdário hebdomesmário onde nada é vário onde o
mesmo esma mesma miasma marasma manadas de mesmo em resmas paradas
em pardas maremas e raspas borracham e dátilos tralham grafam resvalam
o depois e o antes o antesdepois depois do antes o depoisantes do
depois o hojeamanhãontem o anteontem o anteamanhã o trasantontem o
trasanteamanhã que é hoje ou foi ontem ou depois será pois aqui é zero
cota zero a zero igual no vário feito fetos iguais e moscas feito
foscas iguais e fetos feito fatos iguais e fatos e natos e netos de
natos e o curso recursa o neto renata reneta repete a veneta dos fatos
iguais e fetos iguais e foscos iguais e moscas mas quem diz que a
viagem quem diz que a miragem quem diz que a viagem metrônomos medem
diafragmas fragmam nada se perde nada se excede a crosta descasca mas
ainda é crosta coagula e recrosta e descasca e se encrosta para novo
esforço que assim é a ostra a ostra do esgoto onde tudo se frustra
onde o novo gora como o ovo gora o jângal diário o servissalário em
copos diários o selfserviço da fome a crediário o diáriomensáriurinol-
-estuário onde a foz é fossa o fecalvário onde a fossa é fezes tal e
qual qual e tal talqualetal igual a igual jornaljornada ânusanuário
mênstruomensário setimesmário moscas no aquário onde suo o salário
mas a paragem mas a mensagem mas a visagem mas a viragem mas a viagem

mire usted que buena suerte le plantaron la mesquita delante de la bodega
calamares e um vinho málaga língua liquefeita em topázio à distância de
passos da floresta branconegra de arcarias árabes onde um arco de outro
arco de outro arco de outro arco engendra plumas de sombras e rejas de
claroescuro o ar abre o ar prenhe turistas yanks e alemongs no mihrab
bichos d'água contando pesetas à luz alugada o mihrab remira ouro moído
escamas de vidro escumalha pétalas de limalha rosa e se você tivesse
apanhado laranjas no pátio de los naranjos entrando pela puerta del perdón
não seria mel mas fel aquelas laranjas impróprias para comer pendendo a
beleza plena no redondo dos gomos ao alcance da mão mas fel o risco
geométrico do pátio e surtidores como pequenos espelhos mentireiros
vidrilhando ao sol e depois pela puerta de las palmas não sem ter olhado
la torre color vino viejo você entra as naves de abderramán floresta de
fustes franjando céus de arcos listados dossel de céus arqueados sobre-e-
-sobcéus de arcos se achegando ou se afastando o vermelho ensombrado no
amarelo o amarelo alfombrado no vermelho este aquele um outro depois outro
aqueleesteoutro arco sucedendo e sucessivo recedendo e recessivo para a
mirada alumbrada arcos em ferradura alando-se sobre capitéis romanos e
mais além os polilobulados arcos de almanzor como uma selva dentro de
outra selva nada senão arcos mas o espaço encadeado no labirinto de
lóbulos para o ôlho alumbrado que agora remira o mihrab penetrado até
sua última gruta de mármore e poalha de ouro enquanto turistas pagam
pesetas ao guia solícitoesguio que você recusou mas a luz alugada também
te pertence também a fachada de arabescos e miliarcos miniaturados até
sua última gruta inclusoreclusa de poeira rosa e mármore raso até onde a
vista avista que agora recolhe que agora refolha que agora recorre nos
arcos viciosos a capilla de villaviciosa antes de sair pela puerta de los
deanes calamares e vinho e aqui está san rafael el arcangel san rafael
em seu triunfo motocicletas e namorados o domingo ocrecobre do guadalquivir
e a ponte entre a puerta del puente e la calahorra e o rio sob a ponte
azuda a azuda remoinhando e córdoba vista da ponte no poente cobreocre mire
usted yo soy el único arabista de córdoba y por cincuenta pesetas num
café na plaza de josé antonio mas para quê arabistas se são línguas de ouro
para o luxo do ôlho foi aqui ou foi em granada que você poderia retratar-se
se quisesse em túnica árabe caras paradas no albor de albornozes o
postiço empastado ao real como uma camada sobre outra camada o falso
acasalado ao deveras como uma página velando outra página uma viagem outra
viagem uma pátina outra pátina e pela puerta de almodóvar puerta de los
judíos bab-yend você está en la judería e um velho guia voz cantante
decifrará para um atordoado magote de velhas um enchapelado cacho de velhas
made in usa as letras hebraicas descascadas desoladas paredes pilhadas

augenblick oder augenlicht oder augenbild ou um punhal se enterrando
prestes na lucrezia de lucas cranach staatsgalerie stuttgart quem a poderia
ver de outra forma quandonunca sob o véu vislumbre a gaze gázea o luftsôpro
do manto em tênues vibrissas de ar apenas aflorando a nudez total a cabeça
inclinada a coifa medieval benecomata treliça de pérolas contendo os
crespos ruivos um corado nas maçãs do rosto um dourado nos anéis desprendidos
da coifa poucos o marfim da fronte olhos semicerrados na morte no gozo-raiva
da morte vingável nunca vi punhal tão elaborado lâmina tão lâmina sulcada
e se afilando a partir do cabo lavrado engastes ourobronze mais fulvos para
o ruivo geral e o nimbo ruivofulvo contra o fundo negro e uma paisagem
à esguelha sumida sumindo-se azulróseoverdenegra com pontos vermelhos e a
nudez total sob a caprichada coifa como presa suspensa da gargantilha de
pérolas ou da ombreira do manto trançada na espádua do manto invisível de
cristal em filetes de celofane diria se existisse celofane a fina cintura o
torso magro os seios apenas esboçados em botões rosa o umbigo marcado
pequena concha a linha evasiva da coxa direita sobrelevada pela esquerda
róseolisa pequena concha de penumbra o umbigo conchiglia o leve redondo da
coxa esquerda contra o fundo negro e as virilhas convergidas para um fio de
sombra para um frouxel de sombrasseda ligeiríssimo passado pela gaze gázea
num riscovoluta arisco o fio de sombra afluindo ao encontro trívio de
sombra onde a vida ensombra alfombra terciopelo apenas assomado vida e o
punhal parado gelado aço acerado hibernando a morte rosa a vida rosa a
rósea detida antemorte mas você sabe nas esquinas figuras medievais em
quiosques enfermeirasfreiras embiocadas vendendo bíblias você sabe em cada
esquina montras de bíblias garatujadas em gótico enquanto coros de rua
cantam a salvação realejam a salvação grüss'gott gretchen grüss'gott frau
doktor grüss'gott anna velhas senhoras de chapéus de cogumelos tortulhos
em conciliábulo chuchando chá tee mit zitronensaft a água se avinhando nas
taças vermelhando saquinhos de chá moído pendendo de fios à beira das
chávenas tudo previsto para o pacífico parlamento de cogumelos velhas velhas
gordas velhas velhíssimas meiovelhas envelhando semiengelhadas gelhando
magras velhas gordando coguvelhas gustando tortas de maçã apfelkuchen
rebentando recheio como tumores cremosos guten appetit e em outra parte
diane de poitiers refletida em seu espelho um rubi no toucado uma pérola no
vinco dos cabelos perolando a fronte também marfim altos cabelos puxados
louroverdes o rosto afilando para o queixo em ponta suave o risco verde das
sobrancelhas o reto refilo do nariz um meio um indeciso um talvez um quase
um semi um sorriso nos lábios surpresos num entrebeijo e o manto gaze mais
pesada esta vez cinzadourada semivelando ombros e braços e a nudez a
verdeouro sorvedouro nudez rosa madura e maturada os copos dos seios os
bicos em ponta um fio de pérolas escorrendo entresseios dois dedos
dedilhando uma pérola outros dois um anel o espelho dobrando a imagem mas
isto seria o livro no pedestal duas figuras uma carnuda cópula de bronze

sasamegoto a fala daquela dona coisa de fala mascada ou molhada
marulho ou murmulho cicio ou sussúrrio balbúcie ou borbulha ou mussitar
ou musselina e sasamegoto sachet mascado na língua whispering aquela
dona companheira de carruagem diria buson ou bashô buson enquanto a
primavera haru same ya chove palavras maceradas como goma de mascar
resina e açúcar nas papilas coisa de fala sacarinando dançarinando
nos lábios aflorados nos entrelábios nos entreflorlábios farfalhando
fala farinando fala sim mas agora bashô não buson bashô seishi sob
a chuva sonho de sensitivas o tempo todo pensando nessa imagem todo
como as dormideiras no seu sono de chuva samidare um outro mês o quinto
e contra a chuva a chuveirante chuva de maio hikari teu escudo de luz
templo de ouro onde aquela dona onde aquela fala hikari dô a luz curva
como lâmina de ouro o ouro curvo como lâmina de luz pálio paládio
contra as chuvas de maio e o trem correndo o trem disparado num tubo
de neve êmbolos embalados num túnel luva de neve em rolantes reversas
pistas de neve o tiro do trem na neve o murro do trem na neve como um
furo de silvos de sibilos de apitos que onde o trem parar será aquela
dona que onde o trem calhar será aquela dona que onde a neve neva onde
a noite noita onde o fim fina será aquela dona seu suave titil tatibitate
titubeando seu rolarrulho arrôlo seu tíbio tímido turturinando trêmolo
de murmúrio de marulho de murmulho de gorjeio de trauteios de psius
de psilos de bilros de trilos aquela fala de fios daquela dona nem que
a neve neve nem que a noite noite nem que o fim fine será lá onde o
trem parar o disparado tendão do trem cortando neve do trem furando neve
furfurando neve que ela vai estar por estar primavinda primavera que
a neve não gela primícia primavera no seu halo de espera a mera a vera
a víride visão verna da primavera aquela fala que falha e farfalha que
vela e revela que cala e descala aquela goma de palavras aquela aromada
domada mordida mascada moída pasta de palavras como alguém mordendo a
língua como alguém travando a língua como alguém dosando e adoçando
tremendo e contendo e prevendo e contando e sofrendo e sofreando a
língua a mordida língua doendo dentro de um beijo de palavras um sopro
um bafo uma aura um aroma de palavras apenas uma dona contra o biombo
de papel dum leque imaginário sussurrando coisas monogatari estórias de
papel num leque o oval azul subindo como uma lua tsuki aoi tsuki mas
ahoj quer dizer também olá ou alô adeus numa outra parte onde a neve neva
e o moldau congela onde a neve calva e o moldava alva goldene stadt
cristas cimos cimalhas de ouro contra a neve flüsternd a voz daquela
dona as palavras virando névoa de gaze aflando ruflando como um corpo
de névoa primavera no inverno primavinda no inverno quando o trem estala
como um elástico na neve no dedo de luva branca da neve como o livro
se escreve nesse pasmado branco disparo de trem cortando rente cortando
em frente sempremente entressemprementenfrente a dona sasame daquela fala

isto não é um livro de viagem pois a viagem não é um livro de viagem
pois um livro é viagem quando muito advirto é um baedeker de epifanias
quando pouco solerto é uma epifania em baedeker pois zimbórios de ouro
duma ortodoxa igreja russobizantina encravada em genebra na descida da
route de malagnout demandando o centro da cidade através entrevista
visão da cidadevelha e canais se pode casar porquenão com os leões
chineses que alguém que padrefrade viajor de volta de que viagem
peregrinagem a orientes missões ensinou a esculpir na entrada esplanada
do convento de são francisco paraíba do norte na entrada empedrada
refluindo de oito bocas de portasportais em contidos logo espraiados
degraus estendais de pedra e joão pessoa sob a chuva de verão não era
uma ilha de gauguin morenando nos longes paz paraísea num jambo de sedas
e cabelos ao vento pluma plúmea no verão bochorno e sentado num café
em genève miss stromboli entreteneuse entertainer morta no apartamento
ninguém sabendo como miss stromboli nom de guerre por causa do seu
miríademente temperamento um vulcão nos gelos suíços e um cachorro ao
relento um peludo cachorrinho de pompom escorrido de chuva naquele dia
em genève abrindo genf manchetes nos jornais miss stromboli explodindo
como um geyser dos cabelos ruivos estrangulamento porcerto e a
esfaqueada pequena pobre prostituta paraibana de morenos pentefinos
pentelhos sem nom de guerre sangrando na morte cheirando urina nenhum
cachorro ao relento nenhum refinado racé cocker-spaniel champanha ou
pedigree prendado caniche gris chorando na chuva pois o zimbório ouro
da igreja ortodoxa de genève brilhava bolas de ouro contra o sol e a
igreja barroca de joão pessoa estacava no seu lago de lágeas flanqueada
de dragões chineses na chuvasol do verão nada de novo no mundo sob o
solchuva o semelhante semelhando no dissemelhante um baedeker de visagens
sabem você aceita um palette die weitaus beliebste farbige filter-
-cigarette the exquisite taste of the finest tobaccos ses couleurs
attrayantes et l'élégance de sa présentation piacciono a tutti in tutto
il mondo signorina stromboli ou a pequena prostituta paraibana abrindo
manchetes nos jornais de genève como o sangue golfado da garganta aberta
num cubículo cheirando urina e esta é aquela ou aquela é esta enquanto
o vento cresta quando um cisne morre no zürichsee é notícia nos jornais
de zurique porque nada acontece nada nos anosdias dos dias de semanas-
-anos mas fräulein stromboli como entre os gordosglabros industriais de
vidafamília e apartamento garçonnière sua loura alugada como um talão
de cheques os chefetes de indústria os chefes de indústria os chefões de
indústria um vulcão como seria enquanto o garçon comenta com a patronne
as notícias do dia e alguém escreve cartas num café de genebra tomando
genebra e contando outras mortes e computando outras sortes enquanto a
polícia die polizei investiga les flics investigam pontas fumadas de
palette the supreme artistry of the attractive presentation mlle.
stromboli no estojoapartamento de luxe para ócios noturnos de corado-
-gordos paisdapátria pupeta estrangulada sem saber como saber quem saberia
que sua sorte sua morte seu porte minúsculo vulcão de matéria narrada

açafrão amarelo ovo vermelho tirante a zarcão pompeiano se poderia
dizer depois de ter visto pompeia os frisos de amorini sobre fundo
giallorosso mas aqui é roma as cores romanas bandeirando o azul
finíssimo friíssimo da rarefeita manhã de janeiro o inverno brando
aquele ano quase primaverando nos primeiros verdes e vermelhos e ourofulvo
e zarcoamarelo e ovojalde e carmesim e velhasrevelhas paredes imperiais
e velhosrevelhos palazzi barrocos casarõescortiços alternando com
vilas lei puó dirmi dov'è la via del consolato i'm not italian i'm
amer'kan de dentro de um carro esporte e o sr. poderia dizer-me onde
fica o escritório das aerovias suíças try to understand teacher please
capitão de aviação comercial tentando revender relógios pirateados
zenith a melhor marca suíça tudo por 400 dólares precisava embarcar
na noite daquele dia e com o dinheiro retirar o resto da alfândega
e per caso o outro tipo ragioniere duma cassa di risparmio não
morando em roma mas perto de per caso interessado em relógios per
caso avaliador de joias e peccato não falando inglês e peccato não
tendo dinheiro consigo só no dia seguinte em viterbo mas poderia levar
ao hotel per caritá cerchi di farlo capire um negócio da china
em roma lei chi parla la lingua la prego mercúrio deus dos ladrões
alados calcâneos na tarde romana na rarefeita raríssima tarde azulsuave
bandeirada de fachadas vinhovermelhas amarelodouradas em cada canto
uma piazza em cada piazza uma fonte io sono onesta onestissima una
vedova mio povero marito questi cani rossi montano adesso sono
pericolosissimi montano dappertutto da ogni parte aqui é villa giulia
museu etrusco e se pode descer mas presto non ingombrare l'uscita se
pode colher nas narinas o friofino ar romano que os namorados se
abraçam na calçada delle belle arti e ninguém sabe dizer onde fica o
museo di villa giulia estando-se em villa giulia e subindodescendo
jardinadas escadas mas afinal o antefisso do templo de apolo te olha
fixo das órbitas ocas carranca de górgona e cabelos-serpentes te mostra
a língua de pedra entre caninos de pedra enquanto um guerreiro cavalga
a roída corcova de uma serpe marinha e à parte em destaque gli sposi
paz de ouro detidos no sarcófagotálamo para que você os retenha
paz e apaziguando-se na mútua morte na muda morte para que você dourada
os repense saído à manhã friorenta fricção do frio nos poros e roma
caindo da colina capitolina onde a vênus dedimármora capitolina
tapa o sexo de mármore ogni riproduzione vietata e os muros de tijolos
expostos e as ruínas de fraturas expostas colunas truncadas peristilos
rotos sócos como ossos no forum romano largado pelos deuses e na via
di ripetta la signora andrea pele oliva e ouro oro velino no
tramonto romano ar apurado em filtros ar aéreo coado em filtros
um livro ou quase una scultura dobraedesdobra da viaggio

ach lass sie quatschen lass sie velhas tortugas velhos tortulhos
tartarugando tortulhando meringentorte fruchttorte kaesetorte tartarugas
merendando merengues mit kreme mit kaffeekreme mit schokoladekreme
gula gorgulho de tartarugas merengando e coscuvilhando e cascavelhando
gossipáceas gurgitantes gorgorantes e o primeiro raio de sol brilhando
no lordo de ouro do mercúrio de ouro alte kanzlei invitação ao milagre
das wirtschaftswunder ecônomos deus do comércio o primeiro sol depois
da última neve quem poderia supor o vidrilhado branco espanado em
plúmulas miúdoiridescendo em palhas em faíscas em migalhas brancas
penujando pubescendo e depois empoçando em lama engrossando em lodogordo
mist a merda branca brancarana onde os pés empastam emplastram emparcam
mas o velho conde everardo graf eberhard im bart poderia reclinar-se
no regaço do povo qualquer um do povo nem ouro nem prata nem metais
preciosos mas no colo de qualquerumdopovo na mais negra florestanegra
no mais profundo fundo e restar e jazer em confiança o mais rico de
todos pois isto era o milagre para o conde barbado você pode vê-lo
nas anlagen não longe do bahnhof e depois seguir pelo schlossgarten
o gelo em coágulos nos tanques e greguerias estátuas gregas nas aleias
e não se espante se a velha senhora hausfrau ou kammerfrau te mostrar
uma velhabaça fotografia gasta verão na praia nudez domesticada
de nudistas largateando lagartixando na areia solário mais uns passos
é o landeszentralbank e depois schlossplatz planie e o mercúrio
de ouro pelos óculos ogivas do alte schloss agora landesmuseum primeiro
o talão alígero depois o torso alando-se enfim o caduceu deus do
comércio e é tão bela a relva violeta tão belo o verdebrunovioláceo
da relva vista do kunstverein kunstgebäude am scholossplatz que
alguém poderia olhá-la para sempre celofanizada por trás desse vidro
pernas elásticas nas botas curtas e sentada comissurando coxas em meias
de malha essa tem pelos na língua disse um outro por sobre a mesa
querendo dizer pólens papilas erógenas mas só se interessava por dinheiro
e viel'kaputt vielkaputt vielvielkaputt o polonês também falando sobre a
mesa polonês bêbado embocando bocks forca para os fracos forno para os
fracos e quando afinal cadáveres názis boiavam no vístula eles pediram
isso polonês gagobêbado emborcando bocks no drei mohren friedrichstrasse
ponimáitie li vui po ruski babelbêbado bebemorando e juntam-se um dois
três velhos senhores e choram não se alegram choram choramingam e bebem
e lacrimejam e se recriminam rouco recriminam a special kind of swabian
humour soltou o outro por sobre a mesa mas um livro pode ser uma fahrkarte
bilhete de viagem para uma aoléuviagem áleaviagem e tudo que se diz
importa e nada que se diz importa porque tudonada importa aqueles brutos
blondos bárbaros massacraram todos os juden de praga agora uma sinagoga
uma parede rendada labirintorrendada nomessobrenomessobrenomessobsobre
nomes e são todos os mortos todos os milmuitosmortos como um arabesco

amorini na casa dei vettii amorini orafi amorini fiorai lavrando ouro
tramando flores vendemmiatori pisando uvas perfumistas e lançando pedras
e guiando carros caprinos e correndo em bigas cupidos multidestros
frisos negros contra paredes vermelhas amorezinhos rechonchudos em
misteres servis mas no vestíbulo da casa dos vettii domus vettiorum
insula 15 casa 1 junto ao vicolo del labirinto pois há também uma casa
del labirinto no vestíbulo pudicas protestantes pundonoram e passam
rentes honoram e passam retas descoram e passam rápidas coram e passam
lépidas mas para quem quis ver lá estava casais risonhando embaraços
bisonhos pruderiesspruridos e gosh it's awful sob óculos de aros e
sardas mostardas quem quis ver viu o priapo priápico falotúrgido contro
il malocchio alguém poderia botar olho gordo na riqueza dos vettii
mas esses são costumes vetustos penistenso contra o mau olhado
costumes venustos stupid cupid a eletrola estridula a passos da gare
the american way of mas na casa degli amorini dorati um sileno portando
um cetroglande e na casa della venere uma vênus nadante sobre valvas
em salva coxas cenográficas escoltada por cupidos marinhos cupidos
cúpidos zelando o brancor písceo plácido jarretes cor de nata zelosos
zelando salve lucrum se lê na entrada do vico del lupanare casa di
sirico zeladores zelotes e otiosis locus hic non est não é lugar para
ociosos e o guia piscapiscante malicia olhadas sóparahomens aos
olhares ociosos aqui as cellae meretriciae são costumes venéreos
paredes tatuadas puelas titilando um velho marvadas diria a pequena
prostituta sorrindo dentro do copo titillatio fellatio irruminatio
mas perto daqui vibio restituto dormindo só em vão desejou sua bela
urbana letras latinas gravando a parede poeira e pedra pedra cor de
poeira pedra amarela no sol amarelo poeira pompeiana dourando ruínas
o esperma mirrou na pedra nem pólens nem cheiros só pedra esqueletos
de pedra arruinada no vico degli scheletri o que foi o que poderia ter
sido o que fora o que não se sabe se foi o que não é sendo gargantilha
de ouro porta-seios de ouro tapa-sexo de ouro pulseira e braceletes de
ouro sai do banho e ajusta a sandália sinistra sândaloalabastro raias
de ouro estrelando o umbigo uma menina quase no maiô de duas-peças
e o amorino de alabastro lhe estende a sandália vozes latinas no ar
vulcânico o livro se fazendo nos muros qui tot scriptorum taedia
sustineant cheios de tanta inscrição do tédio de tantas letras três vezes
na basílica no teatro no anfiteatro por mão anônima esta cidade de
ócios petrificados de cios petrificados de vidas de vicos de vícios
petrificados para pasífae a novilha de madeira imbestialirsi ou imbestiarsi
se diz sob o peso táureo e dédalo o melhor artífice preparou isto e
a cena é tão composta tão condigna tão comedida uma prenda para uma
pia senhora para uma rifa pia bazar beneficente saindo da catedral
o mosaico de diônisos mas esta é uma outra estória a moça o cadáver
de gesso caída de boca de borco calipígea numa caixa de vidro

um avo de estória um miliavo de estória uma nuga uma noz uma nesga
uma fresta no crivo da memória uma frincha uma franja uma reixa
por onde passe a estória um filtro filume e respirou e trespirou e
passou aguiñán monte pueblo de lesaca navarra província basca para
o frade donosti capuchinho músico uma capela dobrada como um arco de
asa como um pássaro pousado e tori quer dizer pássaro ovelhas ovelham
no verderrelva o passario mergulha no monte ovelhas reais com cincerros
reais balibadalandobimbalindo dólmens em meio círculo aresta cinza
da rocha rompendo o verde cômoros em concha como joelhos aflorados
a relva suavemacia feito um púbis verde dourando ao sol curvas mansas
ovelhadas de branco em san sebastián depois o mar mugindo mar cor de
cola de peixe águas quase esperma espermacete batendo o molhe peixes
sangrados no piso de pedra olhos vidros tripas na graxa fateixas
famintas e o óleo o cheiro rícino do óleo oleando mas itziar virgen
basca patrona de los pescadores e guipúzcoa é uma província ou o quê
eibar e irún a motocicleta varando a cidade com dois na garupa comer
caracóis camaroneados e vomitar vermelho no mictório público a cabeça
rodando de tanto vinho a medalha se la penduren en el culo reina
isabel la católica queria dizer ao caudillo bravata basca braveando
cheiro de terra cheiro bom de terra molhada e pão e vinho e sardinhas
na brasa o alpendrado sobre o mar bandeira de papel tatalando olhos
verdes gateados fendas na tez morena este é o avo de estória coado
da memória quem te dirá quem lhe dirá quem me dirá horizonte violeta
no soar da hora fazer um livro como quem faz um livro o mar cor de
esperma lambendo o molhe no cair da hora don josé sátiro senescendo
galava mozuelas no povoado o terceiro olho na testa do buda sereno
senescendo por aqui um pulo se está en francia puente internacional
e los guardias civiles batiam os montes atrás dos fugidos coração
basco doçumes e azedumes no sangrar da hora mairu baratza ou o
espírito dos mortos e nem um avo nem um pingo nem um respingo não
nem um ressumo nem um ressaibo para lembrar quem dera o nome dos
lady is a tramp olhos verdes verdoendo verdegrunos e sabendo dizer
apenas naturellement saindo da catedral o mosaico de diônisos uma
pantera verde pantera fêmea com um colar azul e diônisos bêbado
apoiado num jovem sátiro aqui bem perto na entrada sul escavado
depois de um bombardeio a catedral flechando o ar com sua massa negra
fechando o ar num vértice vórtice de pedra negra mas crianças entravam
para ver o mosaico e os dois periquitos gaios bicos e pés vermelhos
atrelados a um carro minúsculo puxando instrumentos agrários agora
psitavam em campo amarelo o mosaico sempre estivera ali soletrado
em pequenas pedras soletrando-se em pequenas pedras as cores tão
vivas como se hoje mas fôra preciso um bombardeio paredes ainda
fumarentas rasos quarteirões arrasados a jovem pantera fêmea resbuna
ronrona rebufa suas graçasnegaças a tramp olhos verdegato jaguarfúlguros

esta é uma álealenda ler e reler retroler como girar regirar retrogirar
um milicôro em milicórdio séptuor vezes setenta e sete vezes giroler
em giroscópio em caleidocamaleoscópio e não ler e lernada e nunca ler
como tudoler todoler tresmiller e estar a ponto e voltar ao ponto
e apontar e despontar e repontar e pontuar e impontuar camaleoplástico
cabaléulístico rodoviagem à roda da viagem a esmo da mensagem o mesmo
e de passagem uma faena uma fadiga uma falena será que vale a pena
será que paga a teima será que põe um termo exânima o desânimo espanca
o pânico e remaina o ânimo porque começa a faina gavilán gavilán
gavilán cantavam na rue budé a patronne olhibovina escoltada por
uma navalha corsa e madame meia-de-renda correntinha de ouro no
tornozelo esquerdo respaldada em seu porta-cachorro monsieur apollon
de quadris bailarinos de efebos requebros sem sapatos pois os pés
doíam gavilán gavilán e a outra brunida em martinica thérèse mulâtresse
açafrão aos ferinos caninos citando antonin artaud digo madame ranço-
-de-violetas no make-up fanado gavilán sobre um guai de guitarras
no boul-mich' tom-mix texano e sua cow-girl lourolambida desafinam por
moedas na outra vez fôra o argelino sob o arco da ponte guturando entre
pandeiros círculos de curiosos palmas e moedas e moedas e palmas e
'spèce de cocu poilu urlam de um beco o popeye malajambrado em
pantalonas marinheiras caçava malamadas turistas no boulevard
ou não foi bem assim saia repuxada até o cós das coxas lendo o
tropique no café flore a cara de sardas e óculos normalistas tomando
talvez um café calvá a loiríssima abraçada a seu gigante negro o
negríssimo enganchado a sua ninfeta loira saudável discordia concors
recolonização biológica por isto esta cidade é babelbarroca por isto
esta cidade é uma opera aperta e você é você e é anônimo é sinônimo
e é antônimo é não e é milhão a tour eiffel está plantada sobre
sapatas no terreno móvel quem diria equilíbrio perfeito gavilán
gavilán gavilán expulsaram o venezuelano por se ter metido em política
e antes bem antes muito antes puseram o outro na fronteira porque
se engraçara com a filha da concierge acusado de agitador mas esse
tempo parece estar passando le bon dieu est une vache o velhinho
metido no seu impasse fazendo la popote e movia um planetarium em
plexiglas tudo cabia dentro de uma caixa nugas núcias mínimos de
vidro irisado em fitas fios filames filandras nós de luz esculpida
tudo cabendo dentro de uma valise e por isso a comissão o recusou
escultura para eles era a massa de mármore a massa taurina de mármore
mas preferia as fotos só nas fotos aquele ectoplasma de vidro virando
luz no restaurante grego o garçon chamava todomundo de mon fils e
a comida parecia comida síria e pão à vontade para ser comido
mastigado manducado pão com gosto de pão mas o gregoianque preferiu
pedir um beaf-steak no gasthaus iugoslavo pois assim ganhava tempo
enquanto o outro o perdia ou perdeganhava pois afinal o tempo

ma non dove noi che della vediamo essi l'indistinto stelle via ravvisano
lattea queria dizer os poetas ou palavras ou estrelas ou estrêlulas
myriads of faint stars lampiros no empíreo galaxias kiklos de palavras
o texto entretecendo entretramando entrecorrendo pontos pespontos
dispontos texturas o estelário estepário de palavras costurando ávidas
suturando texturando urdilando ardilário vário laços de letras lábeis
tela têxtil telame aranhol aranzol de arames manhas de ramos ranhos
de aranhas letras sestras lépidas letreiros selva de símbolos também
selvaggia e aí estou aí fui aí sou eu ou outro eumesmo ninguénheu ou outro
você por exemplo na noite sopa de letrias piazza di trevi confezione elite
ristorante trevi coca cola caffé alla fontana segatori banca tito avgvsto
castellani casa della moda sportiva gino giusti il fedelinaro ristorante
albergo fontana em cada canto uma fonte soré compro vendo oro gioie bar
na noite sépia onde o problema é comprar um cordão para os sapatos cordicella
o arúspice etrusco circa 300 ac parecia um giacometti esqueleto
espectro ou cetroespectro como era mesmo ouvido aquilo uma outra vez do
poeta que lembrava estelas de provença e limava pedras ponentes de
palavras mas a conversa fiada da rua esfia fia versa farrapa esfarpa
com versa límace pegando gluando lesma modorna de palavras mochas moucas
coando como uma papa um mingau de gosma uma graxa gósmica escoando murcha
onde as coisas borram como bolhas bolham desossam descaroçam cartilagem
mucilagem água de lavagem coalhando na barrela agora você se lembra
uma dona fazendo um canudinho com uma nota de quantos dólares e pondo-a
atrás da orelha galante concha da orelha ivorio e falando e palrando e
palrinando com os companheiros de mesa um velho e uma gorda un grasso e
una lorda nympholucrosmaragdomania até o time é capaz de latin american
edition assim teu livro pode ser legível como o quilate da qualidade
no calote da quantidade ou o calote da qualidade no quilate da quantidade
e ficas com a metade como a viagem na vontade da dia adiada viagem
premiato ancora inedito 100.000 copie vendute in due mesi in francia
sucesso il romanzo per il quale i critici hanno fatto i nomi di rabelais
joyce gadda compratelo in tempo in tutte le librerie no dislate do quilate
da aquilatada vantagem da quantiqualitas quiditade e para se ler bastaria
que se perdesse um dia nesta taranteia labirintela mas um dia não é pouco
um dia pode ser muito um dia pode ser tudo meu reino por um dia meu dia
por um dia um dia por meu livro meu livro por um livro et coetera and
so on und so weiter e assim por diante levantou-se na saia de couro e
correu com o canudinho na orelha oro e lavoro cheiro de urina da conversa
fiada pingando na latrina lede letras sestras disse o velho poeta comendo
as pedras da vitória não a vitóriavitória mas a quinta da e quem se lembra
dele ma dove noi ma dove noi non ma dove noi non vediamo che l'indistinto
della via lattea essi queria dizer os poetas ravvisano stelle

circuladô de fulô ao deus ao demodará que deus te guie porque eu não
posso guiá eviva quem já me deu circuladô de fulô e ainda quem falta me
dá soando como um shamisen e feito apenas com um arame tenso um cabo e
uma lata velha num fim de festafeira no pino do sol a pino mas para
outros não existia aquela música não podia porque não podia popular
aquela música se não canta não é popular se não afina não tintina não
tarantina e no entanto puxada na tripa da miséria na tripa tensa da mais
megera miséria física e doendo doendo como um prego na palma da mão um
ferrugem prego cego na palma espalma da mão coração exposto como um nervo
tenso retenso um renegro prego cego durando na palma polpa da mão ao sol
enquanto vendem por magros cruzeiros aquelas cuias onde a boa forma é
magreza fina da matéria mofina forma de fome o barro malcozido no choco
do desgôsto até que os outros vomitem os seus pratos plásticos de bordados
rebordos estilo império para a megera miséria pois isto é popular para
os patronos do povo mas o povo cria mas o povo engenha mas o povo cavila
o povo é o inventalínguas na malícia da mestria no matreiro da maravilha
no visgo do improviso tenteando a travessia azeitava o eixo do sol
pois não tinha serventia metáfora pura ou quase o povo é o melhor artífice
no seu martelo galopado no crivo do impossível no vivo do inviável
no crisol do incrível do seu galope martelado e azeite e eixo do sol
mas aquele fio aquele fio aquele gumefio azucrinado dentedoendo como
um fio demente plangendo seu viúvo desacorde num ruivo brasa de uivo
esfaima circuladô de fulô circuladô de fulô circuladô de fulôôô
porque eu não posso guiá veja este livro material de consumo este aodeus
aodemodarálivro que eu arrumo e desarrumo que eu uno e desuno vagagem
de vagamundo na virada do mundo que deus que demo te guie então porque eu
não posso não ouso não pouso não troço não toco não troco senão nos meus
miúdos nos meus réis nos meus anéis nos meus dez nos meus menos nos meus
nadas nas minhas penas nas antenas nas galenas nessas ninhas mais pequenas
chamadas de ninharias como veremos verbenas açúcares açucenas ou
circunstâncias somenas tudo isso eu sei não conta tudo isso desaponta não
sei mas ouça como canta louve como conta prove como dança e não peça que
eu te guie não peça despeça que eu te guie desguie que eu te peça promessa
que eu te fie me deixe me esqueça me largue me desamargue que no fim eu
acerto que no fim eu reverto que no fim eu conserto e para o fim me reservo
e se verá que estou certo e se verá que tem jeito e se verá que está feito
que pelo torto fiz direito que quem faz cesto faz cento se não guio
não lamento pois o mestre que me ensinou já não dá ensinamento bagagem de
miramundo na miragem do segundo que pelo avesso fui destro sendo avesso
pelo sestro não guio porque não guio porque não posso guiá e não me peça
memento mas more no meu momento desmande meu mandamento e não fie desafie
e não confie desfie que pelo sim pelo não para mim prefiro o não
no senão do sim ponha o não no im de mim ponha o não o não será tua demão

um depois um depois um outro outro um depois um outro outro um não muitos
cinco ou seis depois outro pátio de milagres na pátria do milagre você
os viu no bar do hauptbahnhof sentadossonados na remela da espera
você os viu hundemüde hundekalt caninocançados caninogelados varridos
lá de fora ventados ventrados lá de fora de algum lugar de algum usco
buraco fusco lá de fora de algum lixo cortiço mietskaserne então aqui
aqui também caras cavadas na ceva da cerveja por quê como de onde gado
velório em vigília mortalha mortiço locutório de almas penadas congresso
de lêmures em mármores de morgue vale dizer em mesas de espera em vésperas
de espera uma víspora de lêmures nessas mesas amarelas nessas mesas
onde sentam viajantes em trânsito onde você se senta para o trem que espera
e se abancam e se debruçam e se grupam e se grudam sombras marrons em
sobretudos marrons em sacos rotos de roupa marrom krepier' rosna um para
o outro caimorto num rincho de cerveja marrom eles se rascam lixas palavras
grossas como cuspos engrolam grunhem runhem máscaras macilentas de
massa marrom mascando gomalaca é a polícia agora a polícia em coldres
e talabartes e ouros e aços bitte bittesehr documentos para japonas
cinzas e tacões amestrados a polícia die polizei de botas como sempre e
um vento sacode os lêmures o egrégio parlamento de zômbies sobre as mesas
desfeito agora à voz de circular ali só para viajantes em trânsito e
se escoam como uma pasta marrom uma pasta vacum dócil e marrom se esgueiram
e escorrem aquele ainda moço ainda ruivofogo no topete brilho recalcitra
e rebofa raiva de roncolho e acaba no ladrilho cadeira sem perna de borco
no ladrilho e se escapa e golfa para a pasta marrom onde os mortos
empapam que agora sumidos para os seus fuscos becos uscos sugados para
os seus borros borralhos evacuaram desaguaram da sala amarela onde
transeuntes esperam trens como você espera só que você os escreve nesta
parda pasta e os empapela e os faz tua matéria papeleiro de misérias
neste livro borrador de migas quireras de borras migalhas ela te olha
nos olhos a morte com seus olhos de goya bella maestra você está ou
você esteve aqui antes veja o teu greven's small town-map of cologne
kaiser friedrich-ufer junto ao reno não gelado como agora mas morno e
ameno e ela passou e te olhou nos olhos entressorriu apenas físsil nos
lábios frau ou fräulein morte olhos de goya ou de edvard munch um aceno
um meneio um veneno um coleio de madame lamorte no seu terno torneio
die herrin parada no passeio cabeça de pássaro em saltos de alumínio
sob a luz laranja sob a franja da luz fanada e então eles voltam um dois
outro depois do um um outro depois do outro este um um mais um mais
outro lêmures sem revolta mujos caramujos nas mesas de costume nas
mesmas amarelas mesas amarelas na espera de nenhum trem pois a polícia
foi-se foi-se a ronda de polidos talabartes e escudos brunidos e enquanto
você lê esse guia de viagem enquanto o senhor de óculos sorri para a
senhora de óculos conferindo o relógio e está bem e vamos e falta muito
e não não ainda e espere um pouco e sim agora viajantes transitam entre
vidas e indas entre passo e despasso entre nem e trem eles param eles
pousam num pasmo seja num poço marrom de cerveja corujas caducas murchas

uma volta inteira em torno do moldau gelado sem sentir o frio seriam
ouro ou castanhos ou um estágio entre ouro e castanho ou talvez um ouromel
mais claros o moldau gláceo mas aqui as águas se liquefazem pelas janelas
do clube mánes klub vytvarnych umélcu mánes marrecos disputando restos
com gaivotas aquele pega a presa no bico de espátula e dispara em
remadas tontas ingurgitando o bocado assediado por um piquê guloso de
gaivotas rodar sem sentir o frio uma volta inteira e mais outra aux yeux
d'or e o frio lhe escanhoava o rosto mas o velho ditador caiu do seu
sóco gigante agora cavo vazio como um buraco de dente massa bruta como
um dente de mamute arrancado und stalin konnte keinen twist tanzen
humor negro na tarde grisácea enquanto no viola ou no barbarin uma visão
do paradiso de dante disse rodin e ele sabia do que estava falando
as estátuas na karlsbrücke conversam com as estátuas no adro de congonhas
profetas e santos quem sabe discreteando sobre o tempo dummes geschwätz
uma papa barroca de conversa fiada fiando-se no tempo mas numa kavarna
se pode tomar um mokka ohne wasser der härr ober composto como uma figura
de cera repetida e repetindo-se na cera o garçom em pose de garçom e numa
vinarna ao cálice aqui se bebe um slívovitz de fogo e se conversa em
quatro línguas e de outro ponto no wenzelsplatz die pragerin wenzelnflanam
scharwenzelnflamam e quem quem é quem quem é como quem é onde quem é
quê para deter a vida essa que inflora em redes capilares que está no ar
que sibila sobre os bueiros de esgotos aquela chama de gás azulando viva
na voz redonda da moçoila que vela o cemitério judeu entre pedra e pedra
pedra empedrada na pedra quando a vida cintila esfuzia a voz de vida nas
aspas de arbustos secos quem é quem para não soluções mas condições novas
para soluções isto sim pois milagre não há não há esse paraíso simétrico
a vida não flui em raias iguais borbota por ranhuras jorra por gretas
explui por invisíveis fissuras se não se pode fazer um fazem-se mil
mil desenhos arquivados em gavetas e pastas para rebentarem como uma
cascata com um represado furor de água furando fenestrando por mil furos
um diquebuldogue de pedra resolvido o social então é que começa
condição-para não solução e khruschóv entende menos de arte do que minha
grand-mère e sorvendo um gole de vinho e sentindo a vida a vivescente
irrigação dos capilares ou vida rebentando os esquemas como uma raiz
que estoura um enclave de pedra e preferindo assim pois no baralho vida
sua carta é solidário não solitário solidário e o paraíso não é artificial
mas tampouco simétrico o compasso das coisas difere discorda
dispauta isto você pode escrever neste livro seu de linde e deslinde
de rumo e desrumo de prumo e desprumo neste livro que você alinha e
desalinha como o baralho vidrilho vida e olhos dessa cor nunca vi assim
dessa igualzinha cor bei gott lieber gott nunca vi melancolores
um gato que fitava firme quando a gente fingia e no fim no fino no vero
meiomundo roxo amarelo-e/ou-cinza-e/ou-roxo c'est affreux olhando para fora

cheiro velho cheiro de coisas velhas velhagem velharia revelha velhos da
velha esse bolor em lenços de linho gasto esse olor de alfazema e papel
fanado pergaminhado plissado gatos se espreguiçam nas ruínas romanas
gatos sem cor alimentados por mãos de velhas no sol do ferragosto as
mãos carquilham como cera ao sol e velhas de chapéus obscenos varando o
patio de los leones fotografam-se contra a pedra leonada uma algazarra
de gárgulas cacarejando oh it's funny it's really beautiful ou schön
schön sehr schön wunderbar metade do rosto liso e belo como uma pele de
fruta um romã róseo maçã de fruta outra metade amassada como um papel de
embrulho riscada rugada roída chupada na caveira de ocos assim você é
assim você será vita brevis velhos corpos nos maiôs flácidos coxas
varicosas nódoas nós violáceos no branco ceroso e velhos cachos sem
cor cor-de-rato cor-de-iodo descorado em água cor-de-palha depois de
usada e se estiram e se estendem e se estojam na areia solta tricotando
palavras também usadas para que o tempo passe um capilé de tempo um
xarope de tempo melissa água de rosas um jeito qualquer de aguar o
tempo de amolecê-lo de gomá-lo de machucá-lo para gengivas murchas
para dentes malseguros de enrolá-lo numa bola de saliva para a mansa
ruminação dos queixos também usados chinelos velhos cheirando a barata
e a vontade de durar de se agarrar no tempo na borda no rebordo no
beiral do tempo o arco de tanto ficar tenso acaba quebrando a voz velha
queria aplastar tudo no melaço de fala tudo na mesma clorosa gelatina
de amebas ambíguas se insinuava metia pontas de polegares úmidos sabia
fazer média sondava o hímen complacente das coisas voz velhaca
arrastando chinelos usados cor-de-barata cor-de-biscoito-mofado
amolecendo as meninges de tudo mas alguém a outra voz rompeu ríspida
ou algo ou um ou quemquerque rompeu a outra voz rápida alguém
rajou a outra voz cerce tem que fazer de medula e de osso vale
dizer alguém ou quemquer nessa geleia nesse glúteo nessa gosma geral
disse com um pé pisando o élitro poento da voz velha que balançava já
uma antena aflita de inseto pisado esse dura cem anos até mais
cágado de fezes suspenso no limo verde dos meses a anã gobeta à porta
agora do prostíbulo com uma baciabidê de ágata sob o braço travado e
naquele talvez de minuto a pequena prostituta cruzasse os braços sob a
nuca florindo manselinha das axilas castanhas quarto de chita rala e
convidando à vida a voz velha fechou-se no seu estojo de feltro
forrado de seda garrafa o clique do fecho ferruginoso caiu sobre a
medalha encravada em veludo gasto e era a voz que perdera o seu luzido
de propostas de promessas de deixas de distinguos pode ser mas eu
explico é verdade mas também é certo você compreende você há-de vocês
todos hão-de este percurso cumprido agora ao redor de uma sala sem
sair de uma sala esta viagem ao ânus da terra onde um sol fosco
requenta lesmas fósseis um velho senhor respeitável põe o chapéu de
copa escura na cabeça e sai digno composto melindrado talvez na mão
que prensa mole o livro também se faz disso frio de asco no diafragma

como quem escreve um livro como quem faz uma viagem como quem
descer descer descer katábasis até tocar no fundo e depois subir
subir subir anábasis subir até aflorar à tona das coisas mas só as
pontas as cristas as arestas assomam topos alvos de icebergs agulhas
fagulhas por baixo é a massa cinza cetácea o grosso compacto de tudo
a moleira opaca turva onde o pé afunda malares mongóis a pele cor-de-
-majólica sob um gorro de peles vogais molhadas líquidas vogais eslavas
pipilando ptítsas outoniça beleza ainda segura de si nos cílios ruivo-
-claros quase sem mover o rosto que o queria como um filho que ninguém
ninguém o conseguira deter do brasil para a alemanha e fôra para o
fronte russo porque quisera sombras na majólica sim porquequisera e a
carta lhe caíra nas mãos majólica na sombra porquequisera a carta
que ela escrevera informando os parentes russa branca num hospital de
campanha sim as duas pernas sombra e majólica serraram as duas pernas
dele gangrenadas assistira a tudo e a carta não sabe como ainda hoje
não sabia fôra parar nas mãos dele com um tiro na cabeça sombramajólica
por engano nas mãos dele talvez um parente talvez uma noiva alguém
talvezsim no brasil não tivera mais coragem para dójd idiot dójd
assim se diz está chovendo a neve plumiscava lá fora ciscava branco
e o diabo não é tão feio como o pintam leque de dentes amarelos
o chofer lituano fizera a guerra fugira depois e os alemães não
conhecem o frio o friofrio pravaler friomesmo não tem na terra deles
se você não fica dando tapas nas orelhas beliscões seguidos nas
orelhas elas apodrecem e caem a ponta do nariz também as pernas nos
joelhos precisa mover sempre o corpo comer coisas grossas
gordurosas chouriços de carne gorda senão o sono o sonobomsono
torporestupor de fomessonobom tudobom calmocálido tudoquente como
um ninho um nicho bom de braço roliço um ventre macio de sonobom
ohquessoônoboom nesse colo fofo e quando acorda se-é-que não tem mais
dedos não tem mais pernas não tem mais cara por isso tanta gente
sem orelha sem nariz lepra glácea de inverno e guerra é isso guerra
divide o amigo que comia em sua mesa desde criança o amigo contra
ele por isso fugira para ficar livre de duma vez mas não é tão feio
o diabo piscopiscando agora parentes escrevem filhos na escola pobres
pobres não há operários estudando em faculdade lituânia tem uma língua
difícil muitos falam alemão e russo ele já era brasileiro o cisco
da neve doía nos olhos a majólica fanava no halo de sombra fôra melhor
assim quemsabe aquele gorro de peles comprara em moskvá quase todo
ano fazia essa viagem o marido representante comercial die worte sind
wie die haut auf einem tiefen wasser palavras como pele sobre uma
água profunda ou o derma do dharma o chilrear de pássaros daquele
outono numa aquele outono de pássaros chilreando numa para baixo
para cima katábasis anábasis o ritmo das coisas do mundo numa cama

não tiravam o chapéu da cabeça o feltro cor de fumo sobre o rosto chupado
passado como uvapassa pelepregas e essa coroa de feltro na privada
ou na mesa no comedor como fariam para dormir e eram três velhos de cara
escanhoada e jaqueta alpaca três velhograves em turra casmurra para a
feria de san isidro vindos a madrid para e a pensão na calle de las huertas
e sempre o mesmo arroz e o mesmo peixe podrido e algo como tortillas
de massa magra no desayuno mas que importava importava la feria
curro romero por ver tu toreo me muero me muero canturreavam sob a chuva
que fôra faena de la lluvia a sétima corrida e a sexta antes e tudo
não valera nada senão ver o ruedo aguado da monumental e impermeáveis cor
de rã sobre capotes toreros e a nona la novena desluzida por una mansada
touros zainos mansurrões arrancando curto mas cento e vinte pesetas
no outro dia por um tendido alto que valia sessenta num cambista na calle
victoria se tomava o metrô na puerta del sol e se descia em ventas anjos
goyescos no outro extremo da cidade ermita de la florida anjos-donzelas
na cúpula balconada mirados por espelhos ovais o céu de pintura debruçado
debruçando-se nos balcões mas isto como disse no outro extremo aqui alcalá
barriada de ventas onde agora já hoje enfim plaza de toros la última de
la feria três velhos três sombreros três isidros da província em jornada
forastera e você também sim você agorasim hojeagora enfimsim domingo seis
tarde un novillo-toro de don alfonso sánchez fabrés de salamanca para el
rejoneador don salvador guardiola seis toros de la misma ganadería para
rafael ortega joaquín bernardo luis segura enfimagorahoje você o céu
limpa-se de entrenuvens turvas lava-se num azúleo dossel goya onde anjos-
-damas podem reclinar-se uma garrafa gigante andou na arena pois era um
homem-botelha anunciando cerveja e viu-se don salvador a cavalo cravando
rejoncillos y banderillas e viu-se mas falhando a pé no descabello e
nemporisso e porémsim dando a volta ao ruedo porque tivera estilo y valor
y toreo mas perdera a oreja um tiro negro um tiro de lombos tersos e é
o touro investido no vazio dos cavalos tiro touro peleando com picadores
tripas na poeira a esquadra dos monosabios recolhe o cavalo colhido e
então é seda ouroluz de divisas remoinha nos olhos milhares de olhos e
três pares de olhos velhos também em tensão tripla e teus olhos inclusos
no móbil momento de um homem que lida eh toro mira eh um homem que liça
em lados de surpresa apenas tantea tenteia en pasecillos de saleroso
desprecio o mais difícil do toreo o natural aqui um homem numa faena de
papel de pena e papel e precisado de um estilo torero de trapío y peso
de gala e garra para este livro-cartel tenteado também por alto el natural
a un toro peligroso cuajado perfecto mas isto foi aparicio ou bienvenida
ou pepe luis uma outra vez cortando orejas salindo a hombros pela
porta grande vamos a ver vamos allá eh toro eh toro en toriles tremor
de morte pinchazo trevor de morte y con la mano izquierda sobre las
cuartillas que son la muleta de nuestra profesión vale dizer de homem-pena
em faena fingida como aquele outro homem-botelha y con la pluma que es
nuestra espada en la derecha vaya esta página para vosotros maestros

e brancusi sim foi brancusi quem pôs a velha fududancua a velha de grossas
nádegas tronchudas que o chamava de maître e o paradeava
feito monstro sagrado para pucelas pupilas cacarejando orgasmo
sim foi brancusi quem a pôs práfora do ateliê aos trancos femme folle à
la messe femme molle à la fesse mas hoje qualquerum adentra impune seu
ateliê vitrificado no tempo reificado no musée d'art moderne para
quemquiserver seus objetos de pedra e madeira sua guitarra sua cama talhada
tosca e mais o quê um púcaro ou um prato um cachimbo ou um tamborete
frugais implementos de vida agora pequeno arsenal de símbolos que a vida
evolou-se na coluna sem fim de turguijiu torção do instante no estante
o rosto adormecido da musa malassoma do mármore ninfa em ninfose
mademoiselle pogany recurva sua nuca núbil e a princesa la princesse x
tem um ar fálico tudo reassume reassoma reassombra no ovo enquanto leda
a ronda encisna em crista de ouro flamante o peixe é uma nadadeira polida
a fléxil verdeazul num coalho de ar maiastra vigiará o voo do pássaro
nessa língualâminalátego que dispara tensa o espaço pois o mestre não
está ali o mestre para o saltomilagre de sua foca de mármore para essa
toda vida sua de fixar o ovo do voo o vazio do voo o voo do voo
ou milarepa ses crimes ses épreuves son nirvana que a vida está agora
nos poros de seda da moça que cochila no avião pernas trançadas na
poltrona em reclino poalha rosaouro sob seda sépia stuttgart paris manhã
pressurizada no estojo alado que vara o vidro de fora como se parasse
foi aqui que você soube da marcha da murcha correição de formigas velhas-
-da-velha em marcha batida marchadeiras marchantes formicolando brioches
biocos batinas becas batas mandíbulas de saúva rilhando como enxames de
sabres o cheiro velho engelhando o cheiro de vida cera escorrendo de velas
em velório lágrimas crocodilando sobre a livre herdade e da árvore de
medalhas rebentam generais mandíbulas mandibulam fios de formigas ferrugem
enfiam fios de formigas ferrugem ferrujam formigas de fios migam formigam
tralha metralha de rezadeiras rezanzando mas a moça em tua frente
espreguiça agora dobra o joelho de ouro em pó apresta firme o nervo tênsil
dos saltos pois o avião pousado e descemos todos para a chuva fina
paris na chuva fina esfarelando frio e água neste hotel morou oscar wilde
rue des beaux arts e je ne sais pas m'sieu je ne suis du quartier
vendendo jornais com olhos de remela e bico de harpia generais como folhas
explodem da árvore de medalhas a mulata subia gingo-de-quadris a ladeira
poenta perto de congonhas lata de roupa enxaguada e caía sobre ela a cera
das rezas rezanzadas de rezadeiras como pó de serragem sobre o cheiro de
vida paris na chuva no frio no feio o curral dos pobres ficava perto
um redondo pasto no aro de pedra roída aqui nas festas vinham comer os
pobres pastar o magro pasto chupar as sobras do comido a reza puxa a
curra dos nobres a raivarreza com zelos com cios com zeus foi brancusi
sim brancusi parecia um monge zen o livro é o que está fora do livro
um livro é o vazio do livro a viagem é o vazio da viagem mandíbulas

hier liegt enthadekeite nometora parthainos nometora jungfrau dezoito
anos catacumba romana de monteverde sie ruhe in frieden via colônia
aqui jaz descansa em paz a jovem judia no seu casulo de tempo
só uma lápide columba em columbário indiferente atropêlo de passos
em frente e passa pressa de vida de vivos mas a cartilha nazi no
mostruário divide o mundo em ferozes anjos louros e dóceis demônios
morenos memento lamento nometora no seu casulo de cinzas quando o
escrever se trava no escrever quando o escrever é travo é cravo é
amargo no escrever e é tinta e treva é tinta e febre é tanta e fezes
que a escrita agora se reescreve se reenerva se refebra onde o visto
se conserva ha las hélas ah las lasse lassus alas e lasso onde a
vista se reserva se guarda se considera entre a vista e o visto
entre a visão e a visada entre o aquilo e o isto a voz sombra a
fala cãimbra o ouvido surda por isso não narro por isso desgarro por
isso a não-estória me glória me cárie me escória que pode ser estória
me escarra me desautora a falsa japonesa fazia strip-tease numa boîte
de bâle tirava a peruca e ficava sendo uma alemãzinha de frankfurt
nua sob o quimono num halo de luz cinábrio ralentando o despir-se
como um cha-no-yu e aqui es la zona de ocupación por sobre o ombro
no trem seguindo para toledo à saída de madrid imaginem por sobre o
ombro cinza talabarte e tricórnio o guardia civil dizendo aquilo
zona de ocupación valia dizer los americanos pois um sargento deles
ganhava mais que um general o guardia civil de cara imberbe
imaginem de plomo las calaveras e agora dizendo aquilo um emprego
como qualquer outro curas o guardias civiles cada três pessoas um
padre ou uma farda vejam vocês investigavam a família inteira
pais tios primos para admitir um quemquer e fazer todos os dias
a mesma viagem a mesma viagem em trem relento sonolento remelento
largava tudo e partia para o brasil que lá sim que então sim
que assim sim mas toledo é uma poeira ocre de muralhas e antes da
ponte há uma bodega onde se pode beber una copita de vino rojo
cortina de contas filando a paisagem a falsa japonesa desninfou com
uma tanga mínima do seu casulo quimono para palmas ávidas uma
crisálida de luz cinábrio e sumiu por trás de uma cortina também
de contas nometora vela no seu nicho de tempo mero nome agora
nometora nesse livro que eu plumo e desplumo que eu cardo e descardo
nesse livro-agora de horas desoras de vígeis vigílias nometora
morta num desvão do tempo muda testemunha mínima lúnula de unha
que se pega na história aqui onde o sangue gela aqui onde a vista
aterra nesse museu de cera da memória kz konzentrations lager
recolhido em colônia para o memento para o lamento para o
escarmento no café campi königstrasse ou perto já maisnada tudo
nada era nada tudo dois lances e gente entrandosaindo sentando
saindoentrando vozes jovens maedchen como se nada tivesse sido nunca
nenhumaparte só nometora alvéolo de cristal vela onde está memória

neckarstrasse neckartalstrasse neckartor e há também uma schillerstrasse
e uma praça schiller schillerplatz onde uma estátua de erected in 1839
known as the most magnificent of its kind in honour of the great poet
passando por debaixo do arco entre vidros vidrosos de tabacaria e a praça
é uma nata de prata ao senhor bibliotecário scardanelli tocando num piano
sem cordas pois cortara as cordas ninguém honora aqui de sua janela
vacante dando para o neckar o quartinho na casa do marceneiro zimmer
ou como se chamava tübingen não muito longe daqui num revés viés de tempo
a gargalhada de schiller estala entre goethe e voss tua fala se turva
de vermelho ou o homem está louco ou se faz de voss escrevendo foi durante
o jantar na casa de goethe você precisava ver como schiller ria e eu
então propus aquela frase uma achega à teoria das cores ismênia falando
du scheinst ein rotes wort zu faerben pela voz de sófocles pela voz de
hölderlin schiller rindo goethe sorrindo ilustre companhia estaria maluco
herr hölderlin ou se fingia de pois sófocles só queria dizer
tu pareces preocupada com algo ismênia a antígone pela voz de sófocles
um dos mais burlescos produtos do pedantismo aquela fala tinta de vermelho
do senhor hölderlin e no entanto e no entempo e no intenso o mar purpurescia
em kalkháinous' épos polipurpúreo mar de fúria polivermelho mar guerreiro
em velo de procela em vento de tormenta em esto de tempesta o mar
o mar grego okeanós para o ouvido de hölderlin a gargalhada de schiller
gela no schillerplatz o vermelho enrouquece a palavra de antígone e raja
e raiva e rasga e refrega kalkháinous' enrouxecenlouquece o mar prévio de
tempestade isto sófocles desdizia no dito redizendo e cabe aqui por
que descabe aqui pois tudo o que é lido e lendo é visto e vendo é ouvido
e ouvindo cabe aqui ou desaqui cabe ou descabe pois é vida é também
matéria de vida de lida de lido matéria delida deslida treslida
tresvivida nessa via de vida que passa pelo livrovida livro ivro de vida
bebida batida mexida como é vária a vida como o livro é álea no
schillerplatz o pensamento disso zurzido pelo frio só o pensamento disso
que se encorpa e desencorpa como um corpo de nada de água de nada
pois é tão tênue tão trêmula tão tínula esta ramagem de estória que
sonegada se nesga e ao negar-se remora e bloch ernst bloch octogenário
em tübingen es gibt auch rote geheimnisse in der welt mistérios vermelhos
sim no mundo só sim vermelhos a mão encostando no rosto dizia adeus
esmeralda dulcefeita em luzelumes de mágoa aqueles olhos e não sabiam
nada do senhor hölderlin por certo sabiam do ristorante lucia na schmale
strasse e que no skala kino passava mondo ignudo dublado em tedesco
não não se dirigiam a você mas ao outro a um outro numa outra mesa
numa outra sêde num outro passo num outro compasso numa outra espreita
numa outra leia-se o piano sem cordas surdina sua música semínima soidão
plumário de neve de quantas plumas plúmeas de neve e é nada e nada
é nada e prata é prata e nata é nata e noite noite no schillerplatz

a liberdade tem uma cor verde verdeverdoso um ectoplasma verde fluoresce
do cobre iluminado pois falo da estátua olhos de cobre esbugalhado
da estátua que assoma agora quase para dentro do barco giganta de coroa
estelar lampadifária ai párthenos éssomai ficarei para sempre virgem
cantou safo a de tranças violeta mas esta robusta amazona de cobre
parece para sempre gelada numa precoce menopausa de pátina cinzaverde
puritana de olheiras cavadas mr. assamoi ou mr. anoma retintos no terno
grafite dançavam o twist com uma platinoloura da costa do marfim para este
sim para este pique-nique sur l'eau a tocha parecia um falo emborcado
e flambava luz láctea vejam a famosa skyline de manhattan downtown manhattan
bastidores acesos revezando quadros e esquadros contra o horizonte garrafa
mondrian me fecit mr. anoma ou mr. assamoi no hully-gully agora rindo de
dentes perfeitos come-se alguma coisa como frango frio e desossado
algo macio desmanchado no palato para além deve ser battery park e aquela
linha reta ali é broadway vladímir lorca vozniessiênski mas antes de
todos sousândrade estiveram aqui uma pizza-hot-dog você comerá se quiser
flanando por washington square and environs o que vem a ser um sanduíche
de pizza com muito ketchup espécie de tomate sintético e não me diga que
estes americanos não sabem devorar antropófagos de mandíbula de aço
trouxeram paris para greenwich village e puseram ketchup por cima
e agora no molho pomidourado torrefazem seu verão made in usa cosmopolindo-
-se em hábitos de lutécia admire este volcano em celofane miscigenado com
uma calça rancheira a miss de pernas rasouradas a pétala gilete trança
pela quinta avenida perto de macdougal alley artelhos dourados na calçada
ninfa do cimento armado muslos glabros movendo a minissaia mas quemquiser
poderá também ver uma velhota de coque e saiote de praia portando descalça
sua sacola de hortaliças ou ninfetas de short brunindo as coxas na praça
washington enquanto um tirolês barbirruivo falso tirolês arrasta um violão
sem cordas passando-se o washington arch está-se na fifth avenue e ainda
aqui no village fica the colonnade onde o president tyler luademelou diz-se
clandestino depois de ter casado na moita com uma girl trinta anos mais
moça a coisa como se vê vem de longe selvagem mastigar de bíblia e dólares
espermando o hímen puritano saindo de wall street a primeira coisa é a
trinity church fina agulha gótica entre mamuts quadriláteros um oásis de
silêncio e vitral depois da malebolge bolsa tutta di pietra di color
ferrigno círculos em forma de ferradura doze no saguão principal e seis
no anexo setenta e cinco diferentes ações cabendo a cada círculo american
can abbott laboratories boston edison campbell soup corn products crown
zellerbach gimbel bros grand union polaroid united fruit canadian pacific
continental oil general foods philips petroleum reynolds metals bethlehem
steel corp números e letras na esteira luminosa uma constelação móvel no
grande quadro negro cambiando ordens com um tinido de chapas metálicas
este livro não tem mais de uma página mas esta milfolha em centifólios
when this circuit learns your job what are you going to do agora agourora

aquele como se chamava americano louco crazy american disse miguel com
seu perfil de príncipe azteca e disse também gringo mas não para ofender
amistosamente comprara um carro e se botara de new york a méxico city com
mulher e filhos mal sabendo guiar e não falando nenhuma palavra de espanhol
só gracias gracias e no comprendo se chamava harry sim e a mulher sara
judia de olhos amêndoa para o méxico pouco dinheiro e com vontade de ficar
your country is not killing people por trás dos olhos claros in vietnam
guiando às tontas baratatonta fuck it pela trama das calles quase duas
horas para chegar a churubusco perto de la ermita damn it fuck it
praguejava tonto ixtapalapa churubusco palavras enroladas na língua e
garotos assobiavam para as pernas de sara palmo tâmara de coxa fora da saia
papazules que por sinal são verdes y cochinita pibil e o méxico te
paralisa com seu soco de pulque e plumas a você também com esse textoviagem
entrebebido em amatl agora em papel de árvore ou amatl papel cor cortiça
este textoviário batido e rebatido também como a massa do amatl esfolado
com pedra e esfolhado na pedra até chegar ao doce do papel liso e piso
onde a estória se esfinge com figuras cabeças de serpente cabeças aztecas
e de serpente coatlicue deusa-morte deusa bi-serpe vestida de cobras vivas
um crânio ocos de um crânio todoocos num colar de mãos madredeusa também
da terra que a morte te está mirando desde os ocres de toluca aquele
maldito crazy american sem saber guiar direito e teimando stubborn as a
mule teimoso feito mula eu disse desta vez querendo saber onde ficava a
highway nãoseiquanto porforça a highway não me deixava indagar da carretera
a toluca e íamos para toluca como se estivesse numa rodovia de new england
corações também no colar de mãos e escamas de serpente xadrezando a pedra
crianças brincavam com caveiras de açúcar na feria de los muertos máscaras
de caveira em papel-cartão mas o pneu rompido forçou o giro à esquerda
não sentia mais os freios verônicas de cartão y calaveras de azúcar
um looping em câmaralenta o asfalto da estrada rinchando cavalo cortado
popocatepetl e ixtlacihuatl anil com capuchos de neve e abaixo logo
abaixo eis la gran tenochtitlan seus templos e canais ladrilhos de água
no risco geométrico tlaloc o deus-chuva pirâmide azul pirâmide púrpura
huitzilopochtli o deus-guerra quatro filas de pentacrânios em lados quadros
a figura na liteira é cihuacoatl inspetor dos mercados e os dois de
orelheiras jade e cara negra tinta de negro coletam tributos guajolotes
elotes frijol de diferentes colores há de tudo aqui pescado acociles ranas
e iguanas na coroa-de-copos de leite a pequena prostituta xochiquetzal
ao colar de jade cabelos colhidos pela mão sinistra e tigrídea a floramor
nessa mão a direita descobre a coxa tatuada jarreteira ouro à altura
do joelho e celhas riscoblíquas sobre os olhos amêndoa em lentacâmara o
looping e o carro virado sobre si mesmo a carretera também virada sobre
si mesma nem sangue nem fogo nem fezes no coalho de óleo intactos na lata
amassada entre vidros puídos e você e harry e sara e crianças arreliando
com voz de pato donald e sara e harry e você para toluca e crianças
para toluca vivos viva-a-vida vida para o mercado cor tortilla de toluca

apsara move coxas pó-de-ouro milibrilhando sob o véu violeta uma falsa
apsara no doubt num falso templo hindu de paredes rendadas e dossel
em pagode pseudoapsara louro-risonha fazendo dólares nas férias de verão
quando eles querem porém compram tudo de uma só vez não um santo
românico ou uma lasca de estátua mas a igreja toda estalas e portais
naveta e nichos esta cidade tem um rio que se chama rio carlos charles
river e triângulos velas rápidas cortam cerce o azul desportivo do
domingo pode-se andar até cansar pela margem verde-relva vendo uma opala
de neon mudar leite em rubi a estrutura do prudential colmeia de platina
entra pela tua janela no escuro que o cubo cupo da noite jájá resfolega
de hálitos e sirenes sobre almofadas lilases a dama de rajasthan
suspira por seu amado a espira do narguilé termina em sua lânguidocaída
mão direita a esquerda titila uma conta um mínimo acima do inviso bico
do seio o outro aponta cômoro-suave tocado pela madeixa de cabelos
olhos borracha-parda do rufião pedindo mais cerveja e rindo grosso
naso de boxeur piadas para a madame que funga ao seu lado em chilreios
de cio boca batomberrante no rosto de reboco velha senhora sorrimiando
a seu beau ele estadeava dentes dentifrícios flamingos contra um sol
de purpurina ou seria uma lua enluada em parasselenes de prata a um revoo
de garças de qualquer jeito a lua-sol no céu de seda creme mira o longo
súplice olhar-espera da bela de rajasthan só esse fogotriste ôlho ansioso
rasgado no perfil para o amado ausente e na testa uma pétalapérola vibrila
enquanto a serva mãos juntas vela sobrolhos de mágoa essa dama amarga
mas madame ri para o seu beau olhinhos obscenos de feto platinum-blonde
e ele enrouca voz rançosa num suor cerveja de vaselina e cabelos
a virgem de tahull circa 1123 veio da catalunha uma igreja inteira para
reconstruída dentro do museu cafe budapest restaurant a boston institution
a dama está reclinada ressupina na alfombra lilás atmosphere and service
beamed ceiling and chandeliers provide an authentic hungarian setting
borboleta alidourada a asa do véu cristal-ouro celofana o lilás da
alcatifa o torso nu soerguido a linha fugidia do ventre pernas trançadas
à altura dos tornozelos mas as ancas têm um redondo de cítara colhidas
no tecido cor de jade uma nesga fina de pele pêssego frufugindo pela linha
do umbigo goulash and sauerbraten are unsurpassed pastries made in
our kitchens including our famous hungarian strudel e a poucos passos
krishna se banha entre as gopis de peito redondo veja-o puxar esta uma
pelo braço e todas com uma flor na boca isto veio das montanhas do pendjab
agora olhe a serigrafia neon-amarela do prudential cambiar-se em clara
de ovo a noite aspirada pela florada de retângulos quatro estrelas
fixas e um ponto piscapiscando o falso templo hindu é ali mesmo apsara
saltava de donne a ferlinghetti mas pelo jeito não sabia do que estava
falando cursava literatura no college este rolo de seda que o tempo
esgarça se desenrola e é o livro também rolo de tempo que a seda espaça
para fora da carcaça de lata azul-leprosa uma perna de mulher se escorando
no banco trazeiro sapato descalçado de bico fantasia e duas botelhas
roladas de cerveja e uma anágua no para-brisa kienholz the american way

sob o chapéu de palha vermelho-rustido deveria ter sido azul a barba
grisalhava um ar dopado a moça é que usaria um sombrero rojo e deveria
ter havido também um grupo de mimos maime ele falava mime troupe
com uma peça de protesto caso a polícia não no feriado do quatro de
julho washington square entre columbus e union onde uma igreja católica
l'amor che move il sol e l'altre stelle ou algo assim no frontispício
velhos vagabundavam vagabundos velhavam no sol fino do pós-meio-dia
guedelhas beatnik e gatas de olhos-rímel no solário da praça e quase
uma hora para descobri-lo no grandalhão bambeante entre um cachorro vago
um bebê chorão e uma loura feiúsca sem nenhum chapéu fusca loura amuada
não era sua pequena a pequena era a outra moreno-turquesa caricaturando
fregueses no hungry i mas a mãe do bebê e estava amuada porque não era
a barba dopada esgalgava uns balanços de dança em cambaios arrancos
mostrando como fôra a outra noite o baixote peludo e o gordo glabro
na porta da city lights também acompanhavam gorgolhando bongós não nada
do claro ar lavanda-e-amarelo da casa do doctor williams a casa branca
parando imaculada no gramado gaio aqui se muda tudo na frustra bôrra
do não-poder impoder poder-pouco contra o carão de milho do colonel
cornpone este remorso remordido do não-poder nos olhos azul-criança por
cima da barba grisalha azul-faiança enevoando em céu de marijuana
mas a arte da poesia agora pause agora espere agora pare escreva cem
vezes para ver a mesma página cemvezesmesma para ver e preze os pesos
more as remoras represe os prazos como o mesmo centena como o mesmo
reprensa como densa e centelha no cumprido da pena pouco importa agora a
arte da poesia esta geração é outra nada do lavanda-laranja imaculado
do doc williams da aresta clara mas a pasta de sarro e marijuana no
halo alumbrado de esperma e latrinas como pensar clara aresta a arte da
poesia quando testardos cara-romba masturbam longamanus a bomba cona
imensa chiando no orgasmo-ribombo e bardos barbudos no báratro de porra
pedem paz com rugidos de amoroso amianto os olhos azuis cerulam
amargando impotência contra os caras-quadradas e o paraíso não há mas
se faz de marijuana cíntia tem cabelos preto-turquesa e mãos sujas
cuidadosamente quero dizer de tinta a óleo pisando descalça o cimento
ensolarado da avenida columbus ônix pedicurado na fuligem e o mundo gira
gira gira giramundogira continua girando colonel cornpone que to fuck
is to love again san francisco estofada de ar-condicionado velhos de
fêz e paletó de arabesco paradeiam zabumbas e elefantes templários
de uma arábia goma-arábica o saiote saracoteia e engraxa botas sentadas
repica um sino sino-marinheiro replicando ao bonde que sobe a rua powell
isto é a grumete limpa-botas rebolando nádegas risonhas para o verniz
dos borzeguins sentados templário de bochechas rosbife pilar do império
aqui estátuassentado a banda latãochispante ataca o god sim save america
no tablado da union square cadavezsim mais depressa o mundo gira
o giralivro mundo gira ao ritmo do topless a-go-go a mulata de tretas
tetas mais a ruiva pipilos mamilos encornam o templário tomate

ou uma borboleta ou tchuang-tse sonhando que era uma borboleta ou uma
borboleta ou tchuang-tse sonhado que era uma ou o entressonho sonhando
de uma tchuang-tse sonhadassonhante borboleta abrefecham alas topázio
quem movido xadrez dos diasiguais percebe move-se o movimento mas
se move o tráfego encanuda no túnel oliva onde lâmpadas-remela esbugalham
se move o homem da moto um capacete córneo e brilha branco surda
companhia taciturna tacissurda em turnos de lento rolar caramujos quentam
sob a pedra homens sobre requentam sol de holofote na cara e
ocupamdesocupam pontos entramsaem portas sentamdessentam bancos movidos
nas raias dos dias ruas iguais antenas de bomdia acenam das carapaças
comovai passebem das carapaças semáforos nulos sinalizando nada das
carapaças o mel flui de um ninho venéreo de pentelhos línguas levadiças
lambem o mel batem êmbolos machos basculam bomdia boatarde fendas fêmeas
o mesmo remesma no visgo vidroso cantáridas fosforam fezes fecam feculam
fecundam o ventre da formiga-rainha ovula cidadeformigarainha ovulando
do ventre branco o túnel-tênia devora e devolve a fila de carros hoje
pré-ontem paraontem hoje borrosa goma de mascar do tempo num fio de
estica restica saliva rola desrola bola carambola que a caçapa engole
rumina e desgole escaravelhos no ar negro elmos de pixe caravelhos
cruzam viseiras veladas e passam tudo se grava num ôlho de peixe onde
nada se guarda e passam esta é a minha esta é a tua vossanossa mim
te tuavossa minha cidade o chouto lento dos paquilentos dias dermes
rosa hemorroida aberta na privada o mesmo e nada caravelhos cruzam no
ar parado silvos saúdam das carapaças de nada um mel do nicho de
pentelhos papaformiga morte língua distensa a formigas migas lambuzadas
no mel e a hemorrosa primavera na privada sempremesmária funiculária
fome diária os supremos com seu beiço de bronze eles fazem o jogo
vê esmigam formigas na unha soprando camisas de vênus supremos
de belfa brônzea e cleópatra the stripper degusta uma banana fellatio-
-style e romanina ergue os seios nas mãos e os mordisca nina e mima
os seios que turturinam para olhos aguados de calvas que descalvam
do that again and i'll kick your fucking face in a mão-boba do trouxa
recolhe um vazio de coxa para olhos linguados de calvas se descalvando
isto agora num cabaré de soho mas todos embarcados no mesmo trem de
tempo tchuang-tse você esta cidade aquela cidade outra cidade não
importa os supremos de ânus áureo jogam e rejogam dados viciados
com seus dedos dourados da bôrra de mesmo brota uma bolha e rebolha
borborigma o dia lombrigando de olhos cegos uma tripa-túnel de treva-
-náusea e não haveria tchuang-tse sem o sonho que o transonha
nem haveria o sonho sem tchuang-tse esta cidade tem paredes fuligem
e um respiro hiante de latrinas os dados viciados formam figuras iguais
figuras de dados iguais e viciados o mudo gane e regouga como um cão
no canil da noite eu apenas lhes contei uma estória tchuang-tse
asa pó-de-íris irisa a dobra da página que desdobra o livro a dobra

poeta sem lira ó deslirado tua fórminx de fórmica vibra em ganidos
metálicos desta vida ninguém sai vivo companheiro no para-choque do
caminhão não as linhas mas o branco entrenegro das linhas filosofia do
irmão da estrada alguém disse trilhas brancas correndo entreletras
verde de reolhos que te quero verde o rímel dissolvido no canto dos
olhos jaguarfúlguros puxando uma rede de pontos violeta tirando a azul
ferrete agora conforme a luz e não sabia nada de hölderlin nem de
novalis e confundia henry miller com arthur miller este último por
causa de marilyn monroe natürlich pluma ante pluma tsuki dama luna
espia do biombo do restaurante chinês o frio cria um halo cálido de
roupas conchegantes e interior aquecido mas é preciso pôr uma vasilha
com água sobre os condutos da calefação pois os lábios ressecam a
boca arde sem saliva enquanto lá fora a neve na parede do subway havia
um poema concreto rabiscado a giz sobre um placard negro sound light
distance space force palavras cruzadas por motion time power energy
e aquele sujeito que gostava de gatos e falava cat-ese era mas o
negrão bêbado cismou com você saído numa lufada de álcool do botequim
noturno e as bochechas dele inflaram soprando uma trumpet ausente
e os olhos rolados em órbitas amarelas e você não entendeu nada do
slang pastoso baforado em ritmo de jazz mas havia algo ameaçador
nos olhos boiando em cloro e nas mãos gigantes que de repente
esmurraram o ar você não estava mais ali é claro conversava com a
nissei de cabelos caídos até a cintura placa de laca e se lembrava
de bashô cavalos mijando junto ao travesseiro piolhos e pulgas
aquela vez no trem para granada entre a morrinha das ciganas de cara
de cera ou de granada para madrid comendo pão com mortadela que te
oferecia o senhor das batatas las papas e que falava do economato
uma espécie de cooperativa e bebendo água num copo mal lavado ou
melhor não lavado por que será que os tradutores açucaram bashô
isto é o senhor bananeira bashô para quem uma peônia florindo podia
ser um gato de prata ou um gato de ouro uma peônia florindo na luz
mas também não tinha papas na língua quando preciso nua até às pupilas
violetas e o vinho não poderia ser melhor degustado em cálices cor de
vinho the viol the violet and the wine o mudo ululava naquele ônibus
de los angeles deslizando pelas avenidas até westwood village
e ninguém lhe dava a menor bola passageiros e motorista acostumados
sem dúvida mas sentado a teu lado e te acotovelando numa dança
tarantuladança de braços são guido e a cabeça em nutos destroncados
os uivos seguiam uma talvez partitura cega partitura em braille
cujas arestas zuniam ao tacto até que uma senhora assustada levantou-se
e desceu no primeiro ponto e você também mudou de banco e quem
te diz que não teria sido ou não estaria sendo este teu livro estrelado
estrelido uma peça chamada alexandra to skoteinón póiema o poema obscuro

pulverulenda que eu linho e desalinho que eu cardo e descarto e descardo
e carto e corto e discordo e outra vez recarto recorto reparto e disposto
o baralho está farto está feito e almaço este fólio que eu passo como
o jogo que espaço hier öffnen with care breakable attention très fragile
attenzione vorsicht molto fragile leicht zerbrechlich pena que ela seja
uma ptyx she's a whore as paredes de kirchberger forradas de mulheres
peladas panóplia de pentelhos e se tomava chá e se discutia sobre
culinária torradas com geleia de cereja civilizada atmosfera britânica
made in stuttgart pena que ela seja a cadeira sacudida de riso espernava
grossas coxas de nylon e ives klein pintava com mulheres desnudas
manchas borrachosas de azul carimbando o vazio da tela entre nacos e ganas
este pátio quadrado que as casas cinzas enquadram e de onde sai este
pátio quadrado também e outras casas cinzas e uma ventanilla que te manda
a outra ventanilla que não é aquela mas uma outra para pagar na mesma
primeira ventanilla uma taxa de 500 pesos e sair deste pátio quadrado
com uma cara de deusa maia e olhos amêndoa ejecutó con tremendo fuego
y espíritu remontándose en el registro agudo con confianza y precisión
construyendo frases de punzante emoción y conservando los más cálidos
elementos que caracterizan su estilo para sair deste pátio cinza e
uma ventanilla segunda que te manda à primeira ventanilla um livro de
registros é também um livro e o difícil do difícil como um rouxinol
sufocado de fuligem troilo amassava um bandoneón entre as patas de
buldogue lírico y se rajó sim se arrancou orson welles ruiváceo
amassando o tango nas mãos como um pão de matéria roufenha los morlacos
del otario para dizer la guita a gaita como hace el gato maula con
el mísero ratón pena que e esta pulverulenda em viagem delenda pelo
oco da viagem e o surdo chegou em casa e a mulher lhe deu o nenê
para ninar e lhe pediu que desse mamadeira ao nenê e a sogra ralhava
com o surdo porque ele não tinha jeito para e a mulher ralhava e o
nenê chorava e o surdo era um homem pacato el sordo el cubano y le cagó
un trompazo en la cara y bino la suegra y le cagó también un trompazo
y entonces bino el machito del piso de arriba cobarde te peleás solamente
con mujeres y a este también le cagó un trompazo en la que se cayó al
suelo y tuvieron que echarle un balde de agua y bino la cana y el
sordo y tuvieron que cambiar un tercio del departamento el sordo nunca
más peleó si era tiempo de perón y la mujer del abogado habló con
el juez si pero nunca más porque no le daban ganas y yo no soy hincha
de nadie o táxi parando entre lavalle e maipú cañete lutava agora
em luna park mas ninguém foi vê-lo la nación com manchetes bovinas sobre
um gado medalhado vácuo vacum vacuarium os de la tacuara mataram um
transeunte bem na calle florida entrevero com pintores saídos do di tella
religión y orden uma notícia de nada radiofoto ap para crónica por que será
el presidente de estados unidos paseaba por los jardines con dos asesores
yuki nuevo perro en la casa blanca sale a su paso y olvidándose de la
investidura de johnson salta furiosamente procurando darle feroz tarascón

o que mais vejo aqui neste papel é o vazio do papel se redobrando escorpião
de palavras que se reprega sobre si mesmo e a cárie escancárie que faz
quando as palavras vazam de seu vazio o escorpião tem uma unha aguda de
palavras e seu pontaço ferra o silêncio unha o silêncio uno unho escrever
sobre o não escrever e quando este vazio mais se densa e dança e tensa
seus arabescos entre escrito e excrito tremendo a treliça de avessos
branco excremento de aranhas supressas suspensas silêncio onde o eu se
mesma e mesmirando ensimesma emmimmesmando filipêndula de texto extexto
por isso escrevo rescrevo cravo no vazio os grifos desse texto os garfos
as garras e da fábula só fica o finar da fábula o finir da fábula o
finíssono da que em vazio transvasa o que mais vejo aqui é o papel que
escalpo a polpa das palavras do papel que expalpo os brancos palpos do
telaranha papel que desses fios se tece dos fios das aranhas surpresas
sorrelfas supressas pois assim é o silêncio e da mais mínima margem
da mais nuga nica margem de nadanunca orilha ourela orla da palavra
o silêncio golfa o silêncio glória o silêncio gala e o vazio restaura
o vazio que eu mais vejo aqui neste cós de livro onde a viagem faz-se
nesse nó do livro onde a viagem falha e falindo se fala onde a viagem
é poalha de fábula sobre o nada é poeira levantada é ímã na limalha
e se você quer o fácil eu requeiro o difícil e se o fácil te é grácil
o difícil é arisco e se você quer o visto eu prefiro o imprevisto e
onde o fácil é teu álibi o difícil é meu risco pensar o silêncio que
trava por detrás das palavras pensar este silêncio que cobre os poros
das coisas como um ouro e nos mostra o oco das coisas que sufoca desse
ouro pensar de novo o silêncio corpo áureo onde tudo se exaure as
sufocadas solfataras as guelras paradas desse espaço sem palavras
de que o livro faz-se como a viagem faz-se ranhura entre nada e nada
e esta ranhura é a fábula a dobra que se desprega e se prega de sua
dobra mas se dobra e desdobra como um duplo da obra de onde o silêncio
olha quando um cisco no olho do silêncio é fábula e esse cisco é meu
risco é este livro que arrisco a fábula como um cisco como um círculo
de visgo onde o cisco se envisga e o silêncio o fisga manual de vazios
por onde passa o vazio o que mais vejo aqui neste papel é o calado
branco a córnea branca do nada que é o tudo estagnado e a fábrica de
letras dactiloletras como um lodo assomado mas por baixo é o calado
do branco não tocado que as letras dactilonegam negram sonegam
e por que escrever por que render o branco como turnos de negro e o negro
com turnos de branco esse diurnoturno rodízio de vazio e
pleno de cala e fala de fala e falha o escorpião crava a unha em si
mesmo sensimesmovenena de anverso e avesso mas o texto resiste o texto
reprega o texto replica seu anverso dispersa seu avesso já é texto
o que mais vejo aqui é o inviso do ver que se revista e se revisa para
não dar-se à vista mas que se vê vê-se é essa cárie cardial do branco
que se esbranca o escrever do escrever e escrevivo escrevivente

na coroa de arestas das manchetes quinas de letras feito espinhos
quebrados e polira sua vontade como um diamante que-sim apesar dos
pulmões cansados velhos foles abrasados de asma ou rustidas esponjas
cor de carne mas polira e os camponeses de olhos suspeitosos
impenetráveis ídolos oliva até que em las higueras a velha com suas
cabras mensageira do averno a uma légua de higueras e duas de pucara
caminhos entrecaminhos descaminhos a vontade polida é um diamante e
cintila com sua crista viril olhiaberto barbirralo e o farrapo de
sorriso entre-exposto nos lábios tudo isto previsto entre os possíveis
pesado e ponderado entre os prováveis por um cálculo lógico até onde
a vontade enraizada lapidava esse cristal aqui o livro para câmbio
tríptico agora a cena aclara marilyn marilinda amarilis de marilyn
em vermelho e preto e louro e rodomel e crinipúbis agora abrebraços
morcegopomba de alas vampíreas numa coifa de ouro tão louro que o
v dos seios enforca uma taça de escuro e meias nylon mãosjuntas depois
sobre um joelho que encompassa outro joelho e o vermelho arredonda um
pudormedo sob o lourofote dos cabelos pavilhão-redoma do rosto em
arrufo-sorriso ou seria já rictus mas é riso ainda na vênusconcha
da poltrona de espuma esta terceira marilyn é amarga e diz amaro
amaríssimo seu perfil de corte duro sob o amarelo elmo do penteado
está sentada nua e meio aberta post ludium vel post coitum meio
aberta manuseada talvez ou publiolhada multitacteada aberta fornicada
ao multicoito que flui como uma cola de esperma corrosivo ela
sentada se respalda num coto de antebraço os seios são glândulas
mamárias e pesam como laranjas de cera no outro braço uma alça
despenca a mortalha do vestido poderia estar assim a cavalo de um
bidê fúnebre coxas em garfo e o brasonado ventre crinifulvo porém
de tudo e mais de tudo um cansaço um cansaço um cansaço e uma fúria
de cuspo frustro e saliva ensarilhada aqui no livro o tríptico
e o triunfo de vênus se desventra escarlate cereja e necrorrosas
câmbio pois para polir a vontade e facetá-la como um artista e tendo
a pedra bruta sob o esmeril vê-la que se transforma num vértice
e radia de um rigor obstinado dias dias e dias quando basta uma muda
de roupa e pouco mais decomer e debeber para chegar a las higueras
uma velha condutora de cabras e levado até ali também por esfalfados
pulmões uma velha a duas léguas de pucara fechado mistério oliva
tudo isto ficou escrito numa agenda tagebuch um caderno de viagem
a terceira marilyn está morta nua e morta cavalgando o bidê fúnebre
cores psicodélicas rosa-choque e azul-magneto drop dead para a mira
de um fuzil de dallas na coroa de arestas das manchetes como um
cristo de cera um cristo hombre de talhe andaluz entre saetas
a tarde inteira toda os tiros agulhando tão quente que era preciso
um lenço um pano um farrapo para proteger a mão voltam a primeira e
a segunda a vampiresca e a pudiesquiva a tigrante e a rôlapomba
mas prevalece a tércia olinfante sexifulva fúria e está morta

mármore ístrio enegrecendo na sombra neve sal-branco agora quando ao sol
mármore feito de felpa de cristal poroso à luz comido de ar o ar gira
dentro do miúdo polipeiro de poros e respira como um pulmão cristalizado
e vivo explodem bolas murano bojões de cor soprada de areia e tinta
marinha explodem globos de topázio onde a retina para e se ofusca
lucilada requerendo prismas diafragmas o olho poliédrico das moscas
um vermelho tão roxo que parece azul um laranja tão sangue que descamba
em vermelho e o cavernoso amarelo amarelo fosco ovo gema apodrecendo
andar andar labirintoandar quando san marco se suspende poeira ocre-
-rosa no pires azul que é mar laguna remanso chapa de metal vibrado
azul-encandecido sob o ferro do sol em brasa san marco sobe poalha
rosa-ouro puntiúnculos de irisado mosaico nuvem e obnubilando à luz-
-sombra o mosaico é um livro de renda de ouro e ocelos de pavão um
livro que se ilumina e decora em fina escritura legível numa língua
flamíssona por sob a calota polar os submarinos chocando sua carga
atômica e quatrocentos aviões sem parar cruzando os espaços com ovos
de urânio o cow-boy diante do radar vigia a fila de botões e há um
cow-boy que vigia o cow-boy para atirar nele caso fique louco e o
botão mas quem vigia o cow-boy do cow-boy fare l'amore non la guerra
labirintoandando até chegar à quina onde os tetrarcas de pórfiro se
abraçam de pórfiro vinhoescuro quase marron contra o mármore nítido
o sol pala d'oro deslumbra na pedra rosa e bucintoro é o nome de um
canottiere vale dizer clube de remo desportes sobre o mar oco de
deuses o velho poeta via ainda ou queria ver os punti luminosi
mas sabia não saber nada so di non sapere nulla mais nada isto agora
na outra costa azul-ligúrio o prédio na via mameli tuesday 4 p.m.
ore sedici calipígeas de maiô brevíssimo passeando pelo lido as
coxas bronzebrunas o gato de brzeska parecia fixado em sua torção
felina numa peça exígua de mármore justa ocupação do material
brzeska não tinha dinheiro para comprar mais mármore a máscara
plissada um papirus de rugas mas os olhos fulguravam nas fendas
ruivas dos cílios e agora era preciso colocá-lo ao relento o gato
isto é para poli-lo seu paraíso era spezzato partido também feito
de fragmentos e crollava caía como uma torre derrupta si rischia di
diventare molto stupido reclinado no sofá cabispenso o sangue
afluindo difícil à cabeça por veias engelhadas e no entanto via
ainda i punti ou se esforçava para a matéria do paradiso de dante
formas non per color ma per lume parvente plasma luminoso fuor di
color diamante cortado por diamante nuvem branco-ígnea sob o esmeril
a banhista se dobra no carro metal-chispante a rede de látex modela
nádegas elásticas aqui o albergo grande italia & lido brunobrônzeas
direttamente al mare dal vostro balcone pescate nel mediterraneo

calças cor de abóbora e jaqueta lilás negros de chocolate um matiz
carregado de cacau e esgalguecéleres num passo de zulus guerreiros
ou então uma gravata dourada fosforesce na camisa anil e lapelas amarelas
esquadram um tórax dobradiço de boxeur a massa branca passa a massamédia
vil e taciturna num mesmo coalho cinzaneutro de trajes turvos truncos
e soul brother temple girl soul soul brother soul sister old black
brother manny moe and jack um tufão pugilista esmurrara os prédios na
rua 13 ou na rua 14 e poupara somente as vitrinas de garranchos brancos
think black talk black act black love black economize black politicize
black live black todas as cores rodeiam o sol central furor negro
que transverbera em pantera e as sintetiza de novo em negro pague um
dólar aqui e você verá as duas moças mecânicas minnie branca e gorducha
rubicona em calcinhas de filandras azuis olhibúfala era uma vaca mansa
de peitos pop gigantes gigânteos agitá-los só isso que sabia batedeira
elétrica carambolá-los num bilhar de bólides molas e súbito tesa
pará-los no freio de um joelho metido entresseios ou de quatro quase
no chão deixando-os despencar como úberes ordenháveis para o olhar
urrante e suarento das mesas próximas cara láctea de bebê loiro e franjas
mas a outra jessie a negra tinha malquebros de pantera na pele
tabaco-escura e os dentes de sabre mordiam um guincho sensual no rebôlo
da eletrola vê-la empinar agressiva seu número e riscar o hálito
suspenso dos machos onanizados com saltos de verniz agudo maquilada
de luz a cútis fogo-fátua incandescia carbúnculo-negra negríssima
nigérrima e o biquini topázio saltava em close-up êmbolo autônomo móbile
tatalava a bengala pendurada pelo cabo no rego do soutien bengalava
titilante jato falo de prata negaceado por um pélvis topázio
o grande nu americano é uma salada de frutas com mamilos de borracha
rosas frescas um tomate-maçã no ventre ligas alfaces verdes e açúcar
e a boca vagino-aberta baton cintilante nos grão-lábios vegetarianos
segal modelou aquele homem de gesso fantasma alvaiade bebendo coca-cola
i'm the only president you've got l.b.j. crocodilágrimo metido
na farda de mao-tse-tung ou melhor no bestiário de ramparts mas ele
está também numa vitrina de greenwich sob a tampa de uma privada op
este livro de notas de notas para o livro foi encontrado na cafeteria
de bloomington retifico nos achados e perdidos entre luvas carretéis
e até grampos de cabelo sob o olhar zelador de uma velha matrona
tricotante quando eu já o pensava na poeira dos anéis de saturno
a velhota curiosa não pudera lê-lo meu portulano em língua morta
por trás do imenso hamburger com chagas de mostarda e ketchup é
possível que se aviste a mandala o om o centro o umbigo de tudo é
possível dançam por isto numa praça do dupont circle a bacante hippie
de tranças sujas e o fauno de calças rancheiras por isto dançam ao
ritmo de bongós vibrados por zulus da rua 13 ou 14 lá pelas quatro da
tarde todas as velhas senhoras solitárias enchem a cara nos escritórios
de washington tulipas nas praças desenhadas vigiam um cio de esquilos

principiava a encadear-se um epos mas onde onde onde sinto-me tão absconso
como aquela sombra tão remoto como aquele ignoto encapelar-se de onda
quantas máscaras até chegar ao papel quantas personae até chegar à
nudez una do papel para a luta nua do branco frente ao branco
o branco é uma linguagem que se estrutura como a linguagem seus signos
acenam com senhas e desígnios são sinas estes signos que se desenham
num fluxo contínuo e de cada pausa serpeia um viés de possíveis em
cada nesga murmura um pleno de prováveis o silabário ilegível formiga
como um quase de onde o livro arrulha a primeira plúmula do livro viável
que por um triz farfalha e despluma e se cala insinuo a certeza de um
signo isca ex-libris para o nada que faísca dessa língua tácita
a tughra de sulaiman o magnífico é um tríplice recinto de pássaros
violeta e ouro sua cauda se abre em lobulados espaços florais
não se saberia por onde ela começa e onde ela termina pois tudo é necessário
nessas volutas que devolvem outras volutas e as envolvem de novo num
labirinto áureo talvez a palavra partitura e uma clave tripla de rouxinóis
pudesse dizer algo dela se não houvesse ainda uma suspensa ouropêndula
de abelhas-arabescos entre o ar e o ar digo entre os espaços floridos índigo-
-azuis e o grande branco armado onde a constelação arrasta sua pompa
de fato não era o sultão quem pessoalmente a executava havia para isso um
calígrafo e se as tughras variavam mantinham sem variar uma tughra básica
o se tiene la chispa o no se tiene citava galdós e parecia saído de um
disparate de goya abrefechava aspas com dedos-cornos à altura da testa
e talhe de louva-deus um louva-deus marron vestindo charpas de barata
a garota sentada no colo de lincoln da estátua de distribuía panfletos
contra a guerra o professor abraspas citava galdós fechaspas charpas
de barata pernas longas róseas no colo da estátua e depois se soube do
velho embaixador que dormia com bifes no rosto chuletas bistecas para
manter a pele lisa a estátua distribuía panfletos da moça rosipêndula
olhado por este caleidoscópio eles dizem teleidoscope você vira também
objeto do jogo uma rosa de braços se abre entre vidros e mãos cabeças
simetrizam um leque de arestas e este quadro na parede se despenha num
abismo de duplos vertiginosos quem não viu a mulata narcisa remoinhando
o umbigo op no olho leitoso da tv ou então são paredes e lustres que
correm para uma rosácea de brilhos com metais e vasos de flores onde
sapatos de camurça verde formam lagartas de borboletas sem asas
agora não estou falando deste livro inacabado mas de signos que
designam outros signos e do espaço entre do entre-espaço onde o vazio
inscreve sua insígnia todos os possíveis permutam-se nesse espaço de
antimatéria que rodeia a matéria de talvez e gerúndio principiava a
encadear-se um epos ouço o seu marulho poliperúleo fechado nas frestas
sua flama calada na cabeça dos fósforos podia começar contando pelo
começo o se tiene la chispa minha alma minha palma neste livro me exlibro

eu sei que este papel está aqui e que não haverá ninguém nenhum outro
nunca nenhures em nenhuma outra parte ninguém para preenchê-lo em meu
lugar e isto poderá ser o fim do jogo mas não haverá prelúdio nem
interlúdio nem poslúdio neste jogo em que enfim estou a sós nada conta
senão esta minha gana de cobrir este papel como se cobre um corpo e
estou só e sôlto nato e morto nulo e outro neste afinal instante lance
em que me entrego todo porque este é o meu trôco e são vinte anos vinte
anos luz de jejum e desconto de silêncio e demência deste ponto oco
deste tiro seco abrindo para um beco que se fecha no beco no fio violeta
de um crepúsculo de nuvens ordenhadas vejo tudo e traduzo em escritura
esta fita visível que pende da janela por um aéreo debrum de voltas
remansosas uma casa outra casa o asfalto que desliza por suas raias
grafite esta cidade se esponja como um resto de almoço escorrido em
jornal e no alto se apura em pós e brilhos por um ladrilho de sol
em vidrilhos vibrados esta cidade é um resto é uma cola de outubro
uma goma canicular de envelopes desgrudados e pega neste papel o dócil
papel onde começo meu conto não começo resumo meu espanto num ponto
de papel machucado e sensível como uma ferida de vida aberta e úmida
nada conta senão esta gana esta língua canina áspera que cobre a
ferida de saliva por onde escorre vida e amaranto azul e um prata-
-plenilúnio infletem nesse fio de vida galinhas depenadas num açougue
de quartos bovinos bicos cristas despencadas entre pele e gordura
amarela agora dentro de uma esfera de plástico irradiante marrom-rubra
enquanto vozes tilintam e o gelo se dissolve em copos de cristal
a moça vem vestida de vidro verde e coloca dois ratinhos brancos num
tufo de pentelhos o livro poderia estar sendo lido agora por uma
voz tão clara que o som gelaria crisálidas de luz lapidada mas tudo
isto não passa do eco fechado na palavra beco e se vai ver não há nada
nada senão papel murcho e marcado papel pisado esfolado pendendo de
um gancho entre esperma e gordura bovina uma prosa feita de limalha de
prosa barbarela guincha tumultulúbrica neste paradiso psicodélico
que confina com um inferno de moscas murchas e borboletas empaladas
borborigmam cores magmárcidas nesta viscosa placenta do nada
medida por um compasso de coxas branquilongas muslos dançarinos
mordidos por bonecas-dentes-de-sabre vampirogulosas bâmbolas bambinas
farejadoras de carne crua e de novo pende a fita luminosa de novo
a lesma do sol se escorre no asfalto grafite e da janela um olhar
translitera este fio de escrita em morse visível quero dizer que
tudo isto é uma tradução um traduzir para um modo sensível onde algo
se encadeie e complete esta mão do jogo quase se perfez e ainda se
pode ver barbarela estorcendo-se num círculo fálico como um xiva
de luz neon pouco se vai aprender nesta anarcopédia de formas
volúveis senão que o vermelho útil funge os nácares cediços

cheiro de urina de fécula de urina adocicada e casca de banana de manga rosa
quando esmagada no chão o calçamento desliza nos pés como se você estivesse
entrando por uma região viscosa um aberto de vagina em mucosa pedrenta
tudo cheirando vida ou morte ou vidamorte um cheiro podre de orgasmo
rançoso e peixe e postas de carne ao sol a muleta solavanca um aleijão
que come farinha com dedos apinhados cor cafre café ocre moca o peito apoja
debaixo da fazenda rala e emborca para uma zona tórrida de coxas colantes
e grelo fio-de-mel agora é a mulata de olhos bistrados que reolha um espelho
de lata e esmalte e correm para o oval de reflexos fósforos faíscas um cio
remontado de cachorros também cheiros gritos trilos psius o fartum da rua
em chaga exposta mas tudo reverte para um céu de ouro um céu de talha dourada
arcos e rearcos numa florada de florões com atalantes e cariátides e anjos-
-fêmea de brinco e coifa de cortesã índios e cocares também na selva poliáurea
onde troncos se desrolam e se desnastram em cachos e mechas de amarelo-ovo
garança e grená põem chagas num cristo marfinizado de pele cinamomo
e o cristo se crucifica no resplendor de prata que emite raios e ferrões
logo mais estarei falando da festa de iansã e de como no mercado das sete
portas branco-e-vermelho de bandeirolas pés trançaram capoeiras de mãos
ariscas num arame sonoro e monótono o livro recede diante do cumulado
arrebol de torrões de ouro mas se aplaca num claustro de azulejos legíveis
e lavados gargareja a fontana por um fio de água murmurina e o silêncio
de filtros e feltros expulsa os cristos gangrenados para o amarelo hepatite
do sol visguento e bexigoso feito um rosto do alto da alegria vem bárbara
fernandes aliás baby babynha vem dançando de ubarana amaralina alegria
a dança de iansã que protege das trovoadas e se desnalga e desgarupa
ou a santa nela minha mãe coroada de um diadema de brilhos e a pequena
espada no braço colado ao corpo quase roçando por você rente rente ao
ritmo de couros e agogôs no terreiro fechado de calor e suor onde
tudo parece não caber mas cabe e dança e bate palmas e grita em nagô
vocês têm que comer pelo menos a comida da santa aqui não tem cachaçada
é ordem e respeito se saem antes até parece que não gostaram até parece
desfazimento no fio do pescoço um dente de marfim miniaturado e na semana
que vem tem outra festa festa grande vocês chegam ficam conosco passam
aqui a noite de manhã na praia comem conosco e depois é festa festança mesmo
a santa comia arroz com frango acarajé caruru tudo dourado de dendê pois
as mãos continuavam batendo a noite que balançava das bandeirolas por furos
de carvão ele regia as coisas e as pessoas media e comedia o mulato canela
dono sabedor da liturgia era ele quem falava de respeito e de ordem
quem propunha a comida e a festa grande bárbara babynha olhos em alvo
rodopia no espanto do sagrado e agora só me resta uma frase que veio dar
aqui por acaso e que eu repito como veio sem pensar repito como o om da
mandala refalo remoo repasso colorless green ideas sleep furiously dormem
incolores ideias verdes dormem furiosamente verdes dormem furiosamente

o ó a palavra ó da igreja oval fechada num enclave turquesa de colinas
suaves colo-de-moça verde teatro de azuis rouxiclaros onde ela ergue
a igreja seu pagode sem porcelana de tejadilhos num branco alvaiade de
janelas sangue-de-boi erguida aqui depois que diogo ou antônio ou outro
foi acometido por um troço de dragões e saiu ileso com escravaria
e assim para dar graças ergueu-a ó de joia com dourados painéis de macau
torres chins e aves de fantasia num fundo laca verde-garrafa está aqui
cabal e conclusa onde nada se põe e de onde nada se tira risco único de
cumprida beleza breve haicai barroco que escande sua vogal de espanto
ó e só contra o sol fébruário e chega zizi pintor-sapateiro the shoe-maker
painter como ele diz num inglês de orelhada e senta na tua mesa e te
fala dos quadros que tem em nova iorque ou na onu e que teria tido ou
que haveria de ter se o fosse tivesse sido o que não importa pois este
é um triunfo de santos dumont numa parede humilde de restaurante já
agora em mariana antes de ver a igreja na praça da sé praça quadrada
de pedra com uma luminária no centro a igreja imponente de para-vento
áureo espraiada até as estalas onde macau também está pincel chim em
campo escarlate pincelando ouro em cabaias e camelopardos mas santos dumont
de mole chapéu funil triunfa num arrebol arcoirisado camadas horizontais
de cores dividindo o espaço em que paris a tour eiffel e o demoiselle
sobem de algo como o bois de boulogne por um formigueiro de fraques e
bandeirolas isto seria para o vestíbulo de uma agência de viagens mas
não quiseram pagar o seu preço e agora veja aqui em cima é o dilúvio
a arca flutua sobre faixas de verde e os cimos de casas e as pontas de
árvores assomam entre espumas e rolos de fumaça cinza que voam como
trombas para o azul farruscoso do céu ferrete desabado em água irosa
esta parte contida no medalhão e sob ela coroa e manto o santo de
casula e cordão como um rei de baralho descartado entre asas geometrizadas
de borboletas um livro ou escrínio que abrisse para trás e este enredo
central vale dizer o medalhão-dilúvio mais o santo-rei recorta-se num
fundo de maravilha laranja rosa branco azul em triângulos contrapostos
tudo da cabeça do zizi sapateiro e de sua mão de couro e martelo para
este retângulo de madeira que se encaixa agora entre livros dando-se a ler
sem descurar dos ocelos que embaixo do santo imitam colunas torneadas ou
vitrais tudo é viável neste mim de minas para onde transmigram ícones
bizantinos não da matéria do impossível mas da impossível desmatéria se
faz a verdade do livro que envereda pelo contíguo da escritura e a
verifica e verossemelha na medida em que se entrevera experimente extrair
daqui este vero e você verá que ele é tão imo do seu limo de verbo como
este minério que incrustou numa concha de caracol e zoomorfo aurificou
seu sonho concoidal depois quero falar de rabanus maurus e de como um livro
pode ser a figura de suas letras de cherubin et seraphin in crucem scriptis
et significatione eorum e de porphyrius optatianus antes segundo cujo
exemplo rabanus aprendeu a dispor as letras e o calavrese abate giovacchino
da fiore florões e uma cabeça de águia nesta página do liber figurarum

circulado de violeta dentro do âmbito pérola onde os sapatos rascam no
soalho e ladrilham em eco só no centro do oval pérola e súbito aquele
violeta que envolve como um dentro de aquário você está dentro é o peixe
desse aquário parietal que te cerca de luz violeta e lilás de luz azul
e cinza hulha de luz negroturquesa esflorada de capilares róseos aqui
monet deu o seu lance de dados jogou tudo e pagou para ver e toda a
pintura coube num precinto violáceo constelado de ninfeias esgárceas
que nem submersos setestrelos o septeto da ursa maior vira assim um
registro plusmarino de medusas de actínias e por isso você parece o
peixe desse aquário que te fecha em plâncton e fezes de safira denso
húmus oceânico que se aduba dele mesmo e germina em figuras de ardósia
ônix cobalto em nigeladas cristas turmalinas em cirros sucessivos de
metileno dentro desse oval você é o peixe um peixe-ôlho alumbrado e
semovente nadadeiras tontas de espanto sem saber onde parar ou fixar-se
e assiste à cirrose da cor como ela se aduna e se adensa para coar
filtrar-se deixar raiar um veio garança uma ponta ouro que fisga uma
esquiva cinzeladura citrina e por aqui você acompanha a doença do azul
a afasia do azul que caminha de contíguo em contíguo até aquele outro
oval aquele outro recinto madrepérola onde o aquário se ajusta em
acorde de sol e se abre e se deixa fenestrar de vermelho e ruivo e
dói de topázio e irrompe em pôr de tarde como um sangue ocaso e coagulando
por roxos descabelos assim no seu claustro vitrino as ninfeias
entrar agora por este fosso e sair pelo outro lombrigocego por estes
intestinos de cimento iluminado ouvindo o ruído de fundo dos trens
que cruzam e o surdo compasso de passos que se afastam como para nada
no centro da figura geométrica está o livro em vermelho sobre um escabelo
da mesma cor as folhas soltas entre pranchas lavradas oito medalhões o
circundam em tons que vão do laranja ao azul depois filetes e quadrados
que se quadram em quadrados até o último acessível por quatro pagodes
nos quatro pontos cardeais e dando para jardins cultivados entrecenas de
um remoto serviço palaciano marpa um dos mestres deixou seu traço aqui
mas o livro se chama prajnaparamita e é o livro da sabedoria sendo a
estrutura geométrica mais conhecida por mandala do livro volto sempre
ao meu escribilho andar andar por esta lombriga subterrânea por estas
escadas escaladas e estes pisos pisados lendo nas paredes os anúncios
deflorados de garranchos liberté vaincra papadoupolos crevera six de
savoie toute la savoie vous fond dans la bouche smart la chicorée leroux
toute la famille chez nous pour être pleine d'entrain en boit soir et
matin la veritable super chicorée trésor de santé gostaria de fazer um
livro como uma rosácea um polvo de tentáculos hirtos estrangulando abertos
luminosos de estória o centro parece um ôlho e poderia ser também o furo
único de pi o símbolo chinês do céu mas o polvo escurece e seu arroxo
fica mais turvo enquanto a luz irriga le mur est le livre du pauvre dentro

como quem está num navio e persegue as ondas jade jadeante a calota polar
fechada em seu prepúcio noturno poderia também conter esta solidão de
avesso de espelho e coluna de mercúrio o estar-aqui não-estando-aqui
barometriza o centro da terra para onde acorrem centopeias centrípetas
você por um triz não cede ao desvario das escolopendras mas prefere um
raphael cor de âmbar queimado em cujo âmbito líquido suspenso no cristal
do cálice fosforece um gelo cúbico de talha diamantina não te serve este
passaporte para o anis verdáceo de outro copo que o lábio rosipálido de
uma albina de cílios parafinados e íris sanguínea de coelho branco começa
a sorver e o estar é simplesmente a terraça envidraçada do café de cluny
onde entram sobretudos úmidos e hálitos que enevoam auras de vapor condensado
pedir um raphael pode começar esta viagem armilar de palavras em torno
de um ponto oco um sistema organizado de palavras que rechaçam sua fábula
vale dizer este ponto oco de que partiram para um agulheiro de acasos
ricocheteantes como palitos chineses lançados e reunidos por uma invisível
garra de marfim os cílios da albina parecem doer à luz e coam sua mirada
rosiclara que também está aqui por força dessa fímbria nacarada de palavras
que une os interstícios do papel com runas móveis suturadas pelo fio da
leitura eis que do desenho em linha d'água é lícito extrair manga-de-mágico
um triângulo revoante de garças que esfuziam num funil de espanto e somem
como vieram deixando mais branco por sua passagem o branco que as cancela
o papel tudo aceita e sua nímia neutralidade tem um ar isento de destino
e facas nua a albina se conduz como uma opala erotizada e a lã de vidro
no seu monte de vênus eriça uma luz de tungstênio súbito os poros sofrem
um acesso de sangue e ela radia em carne viva em carbúnculo ectoplasma rubro
de si mesma ao primeiro aguilhão seu gemido é um turturino de pomba que
tatala com o cerebelo trespassado por um alfinete e depois ela recorre
uma girândola de orgasmo cujos arcos latejantes se resolvem num zênite de
centelhas pelos arcos passam tigres de tornassol e chamuscam o dorso maculado
nessas órbitas de chama agora está sentada no tombadilho envidraçado do café
de cluny longilínea gelando o palato de anis esverdeado e nada trairá senão
talvez um mínimo tremor no canto das pálpebras este safári iminente por
regiões de pele humana e faminta platina canibal pergunta as horas ao
cavalheiro da esquerda e acerta um minúsculo relógio de pulso como quem
está num navio a fábula neste livro é um mero regime de palavras e o que
conta não é o conto mas os desvios e desacordes os vícolos e vielas os
becos e bitesgas os cantos e as esquinas os bívios e os trívios os quadrívios
dessa escura suburra de palavras que emite funiculares e raízes aéreas
que sacode esporos e pólens numa germinação de fécula apodrecida e matéria
albuminal passar da palavra garça à palavra albina é uma veloz operação
de brancura que não deixa na página mais do que esta marca de água ela está
agora totalmente tranquila e acende um cigarro cercada apenas pelos corpos
verbais que suscitou e vai mesmerizando como se não pudesse conter o
ectoplasma de si mesma e o deixasse jogar maga lúbrica seus jogos malabares

tudo isto tem que ver com um suplício chinês que reveza seus quadros
em disposições geométricas pode não parecer mas cada palavra pratica
uma acupunctura com agulhas de prata especialmente afiladas e que
penetram um preciso ponto nesse tecido conjuntivo quando se lê não
se tem a impressão dessa ordem regendo a subcutânea presença das
agulhas mas ela existe e estabelece um sistema simpático de linfas
ninfas que se querem perpetuar por um simples contágio de significantes
essa torção de significados no instante esse deslizamento de superfícies
fônicas que por mínimos desvãos criam figuras de rociado rosicler
et volucres veneris mea turba columbae mas é também um suplício chinês
a vítima entre lâminas eróticas que cortam sem cortar tão finas como
plumas passando entre rodízios tinguunt gorgoneo de vento o sangue não
aflora contido em capilares preso em paredes venosas cuja textura
punica rostra lacu não foi afetada ou foi mas se mantém tacta e intangida
intangida depois um impulso um sopro um alento um deslocar de coluna de
ar e a cabeça rola rompido seu instável equilíbrio por uma exígua
navalha de éter mas é você lapso e relapso você quem move os gonzos
desse acaso os ábacos desse jogo de avelórios um homem-pena como diria
summus juice me poenitet homopluma ele está sentado ratoneiro de
ratoletras e não se manca de seu esterco dourado uma sopa de letrias
que baba como bulha-à-bessa alhos migalhas bugalhos o argueiro no olho
alheio a trave no olho nosso a carocha o caroço o osso o caruncho tudo
isso e mais chicória alfavaca alperche alquequenje alius aliter fervem
nesse caldo de nostrademo futurando o postrêmio assim quando ele tem
cólica de rins vai-se ver e é uma cólica de runas uma melancólica
de belasletras deletreadas em tritos detritos a ourina pelos ureteres
calcificou em calcário de ur e pelos cânulos ouripingou um ouro-pigmento
mais venimoso que sulfurgueto de armênio vademecum vaderetro sassafrásio
ele esta personagem non grata tendo o livro por menagem se compraz em
crisoprásio atende pelo vulgo de bocadouro e pelo invulgo de crisóstomo
enquanto excreta crispando-se seus crisólitos crisográficos ninguém se
espante porém com tais crocidismos crocodilares quando estiver deveras
extremungido e limpo de letras e lastros vai fazer o morto mudo e mouco
feito um oco então nostrademo cacofante descriptará os renogramas pétreos
cacata carta na frase de catúlio cat-face e se ouvirá o seu testremento
acolhido por uma palma de salvas fiat jus era uma vez o entremez
do último céu que vem a ser o céu do céu caem esses fios de luz que
se prendem entre o visível e o invisível poderia ser hagoromo o manto
de penas urdindo-se da luz dançada pelo anjo ou um vento que deixasse
congelar suas arestas seus vértices seus vórtices em profilaturas
filiformes o âmbito tem qualquer coisa de estelário nas lucilações
provocadas por um desgarre súbito de pontos migratórios depois não se vê
mais nada porque a vista para num poro entre visto e invisto onde o
visível gesta vai daí a cabeça rompido o equilíbrio descabeça e cai

a criatura de ouro que há no sol barba de ouro e cabelos de ouro toda-ouro
até a ponta das unhas o esplendor branco do sol é sa a escuridade ultra-
-negra é ama donde sama seus olhos são como lótus seu nome é ud porque está
acima de todo mal a ric é o céu o saman é o sol como o sol sobre o céu
assim fundado sobre a ric o saman é cantado a ric é o mundo das constelações
o saman a lua assim fundado sobre a ric o saman é cantado as constelações
sendo sa a lua é ama donde sama e udgatar a divindade que preside ao udgitha
se o cantas sem a conhecer tua cabeça rebentará este sopro birhaspati
o sabe é o udgitha birhati quer dizer palavra pati o mestre birhaspati o
mestre da palavra a ric é a palavra mesma o saman é o sopro o udgitha é
a sílaba om formas em morfose borboletas estelantes losangos de fósforo
riscando o ar diamantinado e deste espaço o texto se desnovela como a
serpente mordendo a cauda da serpente há um momento em que tudo fica parado
em que todas as tensões se retensam para um ponto vélico um mamilo
onde arfa a umbela cósmica então como um jardim em quincúncio o texto
outorga seu diamante legível por um momento só e queima no ultrabranco
mas esse momento são jardins como disse em quincúncio que abrem
para outros jardins e parques resolvidos em patamares de parques
num rodopio amarelo a mulher se transforma em raposa e seu cio é longo
como um regougo o ar polinizado engendra escarabídeos cor de mel
que caem sobre corolas grandabertas de topázios putrefactos e queimam
na coxa lisa de gôngula de olhos velados por um rocio de volúpia violeta
o focinho da raposa deixa uma pétala sanguínea num amarelo rodopio a
raposa agora se transforma em mulher e de seus dentes alviagudos corre
um fio de saliva nacarada gôngula já enlanguesce como uma zibelina
em transe de prata gozosa quando um ícor de aroma afrodisíaco orvalha
a gruta coralina vultúreos a pino no céu ultranegro alardeando bicos
de rapina despenham-se na carcassa arroxeada da raposa morfose rodopio
a palavra lhe dá seu leite o que é o leite da palavra e ele ficará
provido de nutrimento aquele que conhece na palavra um sétuplo saman
esta é a máquina da linguagem multivorante multivoraz estes cinco e
os outros cinco fazem dez o que vem dar no dado kirta por todo o país
o dado kirta que soma dez é nutrimento e é também o metro viraj com
suas dez sílabas que se nutrem devorando mas kirta é ainda esta face
que assinala quatro pontos ou o lance melhor do dado kirta morfose
rodopio os bicos vulturinos rasgam a carcassa arroxeada gôngula tirita
no seu transe como se estivesse dobando fios de platina os escarabídeos
diademam uma cabeça de górgona cujas línguas são ventosas erógenas
e procuram antenas erotrópicas a rorejada gruta coralina gôngula sonha
dentro de uma romã gigantúrgida recheada de pevides seminais
e patamares que se abrem em patamares de parques e jardins suspensos
de jardins não o texto mas o gesto que o textura o entretexto onde
os jardins se suspendem dos jardins e a curva do patamar responde a
uma curva de patamar jamais devorado ele devora mesmo o que não se devora

vista dall'interno della vettura dei carabinieri um texto se faz do vazio
do texto sua figura designa sua ausência sua teoria dos das personagens é
o lugar geométrico onde ele se recusa à personificação la figura della
donna che sostava in una zona più scura di via del campo appariva dotata
di un certo fascino sim um certo fascínio explica a teoria do texto
quando ele recusa todas as outras explicações o ponto de vista do autor
o dialogismo das personagens a mediação do narrador quando ele texto
altezza sul metro e settanta capelli biondo-platino minigonnamini
scarpette con altissimi tacchi a spillo é finalmente apenas texto texto
que se textura sem pretextos pretextuais la bella donna no appena scorti
i carabinieri texto sem perlustrações nem ilustrações do que não seja
ele simesmo texto cioè l'appuntato meola e il carabiniere orto in servizio
di perlustrazione ou seja texto em trabalhos de texto ha cominciato
a camminare velocemente verso vico untoria per poi scattare in progressione
texto em progresso animado da velocidade de uma escrita que se encaminha
para dentro de seu próprio intestino destino escritural vale a dire
in progressione come um quattrocentista é aí que a flor é fezes pois
quando alcuno scappa alla vista dei carabinieri vuol dire che ha la
coscenza sporca o interno da escritura é também o seu monturo a sua
lúrida lixúria luxurinosa como esse mentecaptado obsenior giacomo joyce
já houve por bem remarcar i carabinieri bloccata la vettura scattavano
all'inseguimento enquanto o texto que já gozava de uma certa vantagem
poderia prosseguir sem embaraços até o seu destino digo intestino fecal
se não fôra la bella donna in minigonna che già godeva di un certo
vantaggio e che avrebbe anche potuto trovare scampo nell'oscuritá dei
vicoli se non fosse a traição stata tradita das letras dai tacchi a spillo
um fracasso una sbandata all'ingresso di vico fregoso memorável con
conseguente pesante caduta pois um texto que quer ser mais do que uma
estória e menos do que uma estória que outra coisa pode ser senão um
abominoso travestimento de gêneros quando i carabinieri della radiomobile
hanno ragiunto la donna si sono trovati dinanzi ad un travestito la
parruca era finita a terra in una pozzanghera um texto sem conteúdo fixo
ed enrico bagoni quaranta e sei anni da porto ferraio senza fissa dimora
e residente presso alcuni amici di vico fregoso gemeva per lo slogamento
della caviglia destra enfim mais um reprovável expermemento da aliteratura
contempustânea em suas viciosas viagens à ronda do seu próprio nombigo
desleixada das boas maneiras do realismo ortocentista e procliva dessarte
à nefanda miscigenação retórica aiutato dagli stessi carabinieri il bagoni
veniva portato nel suo alloggio e stesso sul letto per la distorsione
guarirà in una settimana mas este livro ahimè não tem cura e distorções
como esta embora denunciadas pelos aristarcos mais conspículos acabarão
atravessando o milênio il travestito è stato denunciato per sostituzione
di persona e gli sono stati sequestrati gli abiti dell'assurda mascherata

cadavrescrito você é o sonho de um sonho escrever em linguamarga para
sobreviver a linguamorta vagamundo carregando a tua malamágica
zaubermappe para fazer a defesa e a ilustração de esta língua morta
esta moura torta esta mão que corta um umbilifio que me prega à porta
a difusa e a degustação de e em milumapáginas não haverá ninguém algum
nenhum de nenhúrias que numa noite núltima em noutubro ou em nãovembro
ou talvez em deslembro por alguma nunca nihilíada de januárias naves
novilunas finisterre em teu porto por isso não parta por isso não porte
reparta reporte destrince esta macarroníada em malalíngua antes que
o portogalo algaraviando-se esperante o brasilisco e este babelório
todo desbordele em sarrapapel muito fácil teu entrecho é simples e
os subentrechos mais simples ainda alguém poderá falar em didascália
uma palavra que termina em álea mas o certo é não diferençar entre
motivo ou tema nem apelar para mitemas fabulemas ou novelemas ou se
perder no encalço da melhor tradução para récit ou do distingo entre
novel e novela nem é útil saber se fábula ou conto de fadas é o
termo que equivale ao russo skaz bichos-da-seda se obsedam até a
morte com seu fio e o corcunda só se corrige na cova não se trata
aqui de uma equivalenda mas de uma delenda esquiva escava e só
encontrarás a mão que escreve que escava a simplitude do simples
simplicíssimo em sancta simplicitas põe de lato a literordura deixa
as belas letras para os bel'letristas e repara que neste fio de
linguagem há um fio de linguagem que uma rosa é uma rosa como uma
prosa é uma prosa há um fio de viagem há uma vis de mensagem
e nesta margem da margem há pelo menos margem desliga então as
cantilenas as cantilendas as cantiamenas descrê das histórias das
stórias das estórias e fica ao menos com este menos o resto veremos
uma garrafa ao mar pode ser a solução botelheiro de más botelhas
da vida diva dádiva botelha que o futuro futura pela escura via
delle botteghe oscure e quando a maré for subindo você virá vindo
e quando a manhã for saindo você virá sendo e enquanto a noite for
sumindo você estará rindo pois é lindo e ledo e lido e lendo este teu
cantomenos este teu conto a menos sem somenos nem comenos este canto
mesmo que já agora é teima e não se faz por menos mas nem vem que
não tem se não te serve o meu trem se a canoa tem furo por aí é
o futuro morre velho o seguro mas eu combato no escuro e pelo triz
pelo traz pelo truz pelo trez tanto faz tanto fez minha sina eu que
sei eu que pago pra ver se no dois não acerto jogo tudo no três
e ainda tenho uma vez esta história é muito simples é uma história
de espantar não conto porque não conto porque não quero contar
cantando cantava o sol contando contava o mar contava um conto cantado
de terra sol mar e ar meu canto não conta um conto só canta como cantar

mais uma vez junto ao mar polifluxbórboro polivozbárbaro polúphloisbos
polyfizzyboisterous weitaufrauschend fluctissonante esse mar esse mar
esse mar esse martexto por quem os signos dobram marujando num estuário
de papel num mortuário num monstruário de papel múrmur-rúmor-remurmunhante
escribalbuciando você converte estes signos-sinos num dobre numa dobra
de finados enfim nada de papel estes signos você os ergue contra tuas
ruínas ou tuas ruínas contra estes signos balbucilente sololetreando a
sóbrio neste eldorido feldorado latinoamargo tua barrouca mortopopeia
ibericaña na primeira posição do amor ela ergue os joelhos quase êmbolos
castanho-lisos e um vagido sussubmisso começa a escorrer como saliva e
a mesma castanho-lisa mão retira agora uma lauda datiloscrita da máquina-
-de-escrever quando a saliva já remora na memória o seu ponto saturado
de perfume apenas a lembrança de um ter-sido que não foi ou foi não-sendo
ou sido é-se pois os signos dobram por este texto que subsume os contextos
e os produz como figuras de escrita uma polipalavra contendo todo o
rumor do mar uma palavra-búzio que homero soprou e que se deixa transoprar
através do sucessivo escarcéu de traduções encadeadas vogais vogando
contra o encapelo móvel das consoantes assim também viagem microviagem
num livro-de-viagens na segunda posição ela está boca-à-terra e um
fauno varicoso e senil a empala todocoberto de racimos de uva e revoado
por vespas raivecidas que prelibam o mel mascavo minado das regiões
escuras dizer que essas palavras convivem no mesmo mar de sargaços da
memória é dizer que a linguagem é uma água de barrela uma borra de
baixela e que a tela se entretela à tela e tudo se entremela na mesma
charada charamela de charonhas carantonhas ou carantelas que trelam e
taramelam o pesardelo de um babuíno bêbedo e seus palradisos pastificiosos
terrorescendo os festins floriletos pois a linguagem é lavagem é resíduo
de drenagem é ressaca e é cloaca e nessa noite nócua é que está sua
mensagem nesse publiexposto putriexposto palincesto de todos os passíveis
excessos de linguagem abcesso obsesso e houve também a estória daquele
alemão que queria aprender o francês por um método rápido assimil de sua
invenção e que aprendia uma palavra por dia un mot par jour zept mots
jaque zemaine e ao cabo de um mês e ao fim de seis meses e ao fim e
ao cabo de um ano tinha já tudo sabido trezentas e sessenta e cinco
palavras sabidas tout reglé en ordre bien classé là voui là dans mon cul
la kulturra aveva raggione quello tedesco e a civilização quero que se
danem e é sarro e barro e escarro e amaro isto que fermenta no mais
profundo fundo do pélago-linguagem onde o livro faz-se pois não se trata
aqui de um livro-rosa para almicândidas e demidonzelas ohfélias nem de
um best-seller fimfeliz para amadores d'amordorflor mas sim de um
nigrolivro um pesteseller um horrídeodigesto de leitura apfelstúrdia
para vagamundos e gatopingados e sesquipedantes e sestralunáticos
abstractores enfim quintessentes do elixir caximônico em cartapáceos
galáticos na terceira posição ela é signo e sino e por quem dobra

esta mulher-livro este quimono-borboleta que envelopa de vermelho um
gesto de escritura e doura suas páginas dela a mulher-livro em papel-
-japão cada página que se compagina num fólio-casulo deixa ver o corpo
escrito de vermelho e filetes de ouro esta mulher pousada em seu poema
como uma borboleta sugando mel por trombas minúsculas um corpo em
linha d'água se transparenta quando o papel encorpa e deixa ver esta
epiderme jalne leopardando um espaço de papel de pele de seda mas o
quimono velário vermelho vela e enturva este espaço-intersitício a
mulher-livro lê-se lacuna a cunha a cona cuneiforme incunábulo escrito
em língua cunilingue bômbix a borboleta-ptix escapa da ventarola do
quimono e um alfinete-estilete a fixa neste papel-japão que pode ser
um ventre velino tênsil ventarola onde um sol minúsculo tangerina raia
no amarelo-mandarim roçagar de páginas pés-plumas que se anteplumam
ou asas de quimono enfolham nervuras a tinta de ouro ramagem branca
abrindo um parágrafo borrado a nanquim o sexo-chaga lábios de ferida
crinipúbis ouro no vermelho preto no branco à ourela da escritura
ouço as yonis sussurrando como ocarinas e manando seiva amorosa
kama-salila botão de lótus a saliva vista através das paredes da
garganta pele-papel-de-seda translucila se transparenta as yonis
como ogivas ambarinas emitem flagelos amaranto que leem pelo tacto
feito dedos de cego o lingam túrgido explode cogumelo venoso e o sol
fala solfatara solfalo solferino polifemo de corpos cavernosos
monolhando a ninfa escrita galateia o sol para sol roncolho cioso
de sua gleba o escrito o lido a ninfa de palavras mulher-livro
marcada e coxiaberta vide também viagem viário breviário de lidas
indas e vindas vidas isto tudo nasceu de um quimono que drapeja dobras
como páginas e a mão que o manuseia e que descerra suas folhas e
fileta de ouro cada folha por isso posso rasurá-lo agora e deixar no
branco vacante este risco iminente de outro escrito de outro branco
de outro resto incesto palim que é o nome de uma constelação psesto
e tem cores e se deixa caligrafar e radia pois um signo é alvéolos
donde abelhas minam o mel do sentido e o cancelam alvéolos arruinados
que se formam e arruínam outros alvéolos em ruínas onde está agora
a mulher-quimono borboleta a envelopar gestos vermelhos e o poema
em que ela pousa e onde ela pode ser inscrita cifrada borboleta
de asas vermelhas que fechada é um livro e aberta mulher e lê-se
quem adverte a erosão dos textos quem registra os maremotos calados
do papel os mortos parafinados as letras-esqueletos branco vazado de
branco tudo é lícito e cumpre um destino de imprimatur agora indigito
a mulher-livro e ela se deixa compor com a mesma certeza com que este
parágrafo se abre ramagem branca estriada de nanquim ventarola-pele
coando luz como sílabas kama-salila de yonis gorjeantes que são bocas
guelras dedos de cego ventosas flagelos e grafam caligrafam indigitam

passatempos e matatempos eu mentoscuro pervago por este minuscoleante
instante de minutos instando alguém e instado além para contecontear uma
estória scherezada minha fada quantos fados há em cada nada nuga meada
noves fora fada scherezada scherezada uma estória milnoitescontada
então o miniminino adentrou turlumbando a noitrévia forresta e um drago
dragoneou-lhe a turgimano com setifauces furnávidas e grotantro cavurnoso
meuminino quer-saber o desfio da formesta o desvio da furnesta só dragão
dragoneante sabe a chave da festa e o dragão dorme a sesta entãoquão
meuminino começou sua gesta cirandejo no bosque deu com a bela endormida
belabela me diga uma estória de vida mas a bela endormida de silêncio
endormia e ninguém lhe contava essa estória se havia meuminino disparte
para um reino entrefosco que o rei morto era posto e o rei posto era morto
mas ninguém lhe contava essa estória desvinda meuminino é soposto a uma
prova de fogo devadear pelo bosque forestear pelo rio trás da testa-de-osso
que há no fundo do poço no fundo catafundo catafalco desse poço uma testa-
-de-morto meuminino transfunda adeus no calabouço mas a testa não conta
a estória do seu poço se houve ou se não houve se foi moça ou foi moço
um cisne de outravez lhe aparece no sonho e pro cisnepaís o leva num revoo
meuminino pergunta ao cisne pelo conto este canta seu canto de cisne
e cisnencanta-se dona sol no-que-espera sua chuva de ouro deslumbra
meuminino fechada em sua torre dânae princesa íncuba coroada de garoa
me conta esse teu conto pluvial de como o ouro num flúvio de poeira
irrigou teu tesouro mas a de ouro princesa fechou-se auriconfusa
e o menino seguiu no empós do contoconto seguiu de ceca a meca e de
musa a medusa todo de ponto em branco todo de branco em ponto
scherezada minha fada isto não leva a nada princesa-minha-princesa
que estória malencontrada quanto veio quanta volta quanta voluta volada
me busque este verossímil que faz o vero da fala e em fado transforma a
fada este símil sibilino bicho-azougue serpilino machofêmea do destino
e em fala transforma o fado esse bicho malinmaligno vermicego peixepalavra
onde o canto conta o canto onde o porquê não diz como onde o ovo busca
no ovo o seu oval rebrilhoso onde o fogo virou água a água um corpo
gazoso onde o nu desfaz seu nó e a noz se neva de nada uma fada conta um
conto que é seu canto de finada mas ninguém nemnunca umzinho pode saber
de tal fada seu conto onde começa nesse mesmo onde acaba sua alma não tem
palma sua palma é uma água encantada vai minino meuminino desmaginar essa
maga é um trabalho fatigoso uma pena celerada você cava milhas adentro e
sai no poço onde cava você trabalha trezentos e recolhe um trecentavo troca
diamantes milheiros por um carvão mascavado quem sabe nesse carvão esteja
o pó-diamantário a madre-dos-diamantes morgana do lapidário e o menino
foi e a lenda não conta do seu fadário se voltou ou não voltou se desse ir
não se volta a lenda fechada em copas não-diz desdiz só dá voltas

nudez o papel-carcaça fede-branco osso que supura esse esqueleto
verminoso onde ainda é vida a lepra rói uma quina do edifício na rua
23 e vê-se um sol murchado margarida-gigante despetalar restos de
plástico num vidro violentado como um olho em celofane sérum
o bicho-tênia recede nas cavernas do amarelo muco esgotescroto
quem move a mola do narrar quem dis para esse dis negpositivo da
fá intestino escritural bula tinteiro-tênia autossugante vermi
celo vermiculum celilúbrico mudez o papel-carcaça fedor-branco quem
solitudinário odisseu ouninguém nenhúrio ausculta um tirésias de
fezes vermicego verminíquo vermicoleando augúrios uma labirintestina
oudisseia perderás todos os companh tautofágica retornarás marmorto
fecalporto gondondoleando em nulaparte tudonada solilóquio a lunavoz
oudisseu nenhumnome et devant l'agression rétorquer a margarida
despetala violentada restos de plástico celofanam fanam celúltima
cena miss pussy biondinuda massageia um turfálico polifemo unicórneo
manilúvio newyorquino nesse cavernocálido umidoscuro rés do chão do
edifício leproso da rua 23 entra-se por uma porta em coração estames
de purpurina pistilos ou da rua 48 enjoy the ultimate in massage
new york grooviest men's club the gemini porta partida em coração
lovely masseuses sauna waterbeds circe ao cono esplêndido benecomata
oudisseu nenhumnome parou aqui este livro uma tautodisseia dizendo-se
parou aqui e passou além morto roxo exposto como um delfim
tot rot und offen à beira-vênus num nascimento de vênus aphródes
escumante e deixar que tudo se organize num azul sutilíssimo
tapeçaria vitrificada por onde raiam caules de luz amaranto
cúspides de glicínias desabrochando em reis góticos em naipes de
um tarot glacial irisados por fogos distantes tudo isso surdinando
em murmúrio de fonte o aquilo produzido no isto ou viceversa por
uma torção do tempo famosus ille fabulator que se faz memória
mementomomentomonumental matéria evêntica desventrada do tempo
da marsúpia vide espaço do tempo um livro também constrói o leitor
um livro de viagem em que o leitor seja a viagem um livro-areia
escorrendo entre os dedos e fazendo-se da figura desfeita onde
há pouco era o rugitar da areia constelada um livro perime o sujeito
e propõe o leitor como um ponto de fuga este livro-agora travessia
de significantes que cintilam como asas migratórias de novo a quina
pulverulenta do edifício da rua 23 de novo circe la masseuse
entre cortinas de mercúrio fluorescente e a cara glabra de um eunuco
ressupino metade-convertendo-se em focinho porcino beneconata circe
quem ouve a fábula exsurgindo entre safira e fezes quem a vê que
desponta sua réstia de rádium entre lixívia e sêmen para um rebanho
de orelhas varicosas grandes ouvidos moucos orelhas de abano flácidas
bandeiras murchas que des contemporains ne savent pas lire ouver

a dream that hath no bottom a oniroteca do tecelário e mais uma vez
entre ninfetas verdoengas o sonho de uma noite de varrão
el ecónomo y la niña en un jardin se encontraban cuando entre grandes
dolores y apretándose la aljaba palabra árabe que significa barriga
dijo la niña cuitada quien mal anda mal acaba assim don juan de
la coba gómez galícia fins do outro século criador do trampitan
língua para o seu uso e regalo naturalmente considerado louco
uma página do livro pode operar a transverberação do tempo
no espaçocurvo nasce um crisantempo esta flor que se vê aqui
que a escritura decalca em nata de papel hieróglifos a hieroflor
du bist greis doktor faustus transas de espaçotempo ou de como
a arte é contra a vida a tanga lilás recorta uma tão íntima
comissura de pele que a luz inflete de puro gozo brilúmido
alumbra das nóvens ilhas em or humor disse oswald e agora por
que todos não vão para casa pintar um pouco volpi para um grupo
de pintores filosofantes engalfinhados sobre o conceito de tempo
fritz müller sonhando com bromélias o dr. fritz müller de thüringen
erfurt com bromélias no delírio da febre in seiner fieberphantasien
morto em blumenau 1897 o ano do coup de dés o dr. fritz müller
leitor de feuerbach max stirner e marx quemsabe professor de cruz e
souza com bromélias morte simbolista mais de quarenta cartas a darwin
num espaço de 17 anos pesquisando crustáceos não para discutir e
ponderar de novo as teorias de darwin quero dizer os prós&contras
mas para indicar alguns fatos o concreto não o abstrato gesammelt
auf demselben boden sudamerika's colhidos no mesmo solo sul-
-americano onde darwin wie er uns erzählt como ele mesmo nos conta
por primeiro concebeu a ideia de ocupar-se mit diesem geheimniss der
geheimnisse com esse mistério dos mistérios a origem das espécies
für darwin datado de desterro 7 de setembro de 1863 o dr. fritz
müller-do-desterro como também se fizera conhecer traduzido para o
inglês em londres 1869 por sugestão de darwin cartas também para
agassiz em cambridge aquele mesmo do apólogo do peixe the sunfish
ichthus heliodiplodokus agassiz and the post-graduate student
contado por ezra pound olhe para o peixe olhe para o peixe olhe
paraopeixe o jeito é olhar para o peixe o dr. fritz müller sabia olhar
trazido a sta. catarina por um microscópio náuplius de tetaclita
porosa primeira muda vendo-se o cérebro em torno dos olhos de onde
se originam os filamentos olfativos e posteriormente alguns delicados
músculos da coifa oral ou esse jovem de sacculina purpurea com as
suas raízes o animal vermelho-púrpura as raízes de um verde-grama
escuro a figura 65 desenhada de memória pois os animais que tomei
por jovens de prótula se tornaram estranhos e os desenhei logo que
notei a presença do opérculo e protestara contra a fórmula do juramento
médico sicut deus me adjuvet et sacrosanctum ejus evangelium porque
não queria ser médico na prússia dentro de um dado sistema dogmático

fecho encerro reverbero aqui me fino aqui me zero não canto não conto não quero anoiteço desprimavero me libro enfim neste livro neste voo me revoo mosca e aranha mina e minério corda acorde psaltério musa nãomaisnãomais que destempero joguei limpo joguei a sério nesta sêde me desaltero me descomeço me encerro no fim do mundo o livro fina o fundo o fim o livro a sina não fica traço nem sequela jogo de dama ou de amarela cabracega jogo da velha o livro acaba o mundo fina o amor despluma e tremulina a mão se move a mesa vira verdade é o mesmo que mentira ficção fiação tesoura e lira que a mente toda se ensafira e madriperla e desatina cantando o pássaro por dentro por onde o canto dele afina a sua lâmina mais língua enquanto a língua mais lamina aqui me largo foz e voz ponto sem nó contrapelo onde cantei já não canto onde é verão faço inverno viagem tornaviagem passand'além reverbero não conto não canto não quero descadernei meu caderno livro meu meu livrespelho dizei do livro que escrevo no fim do livro primeiro e se no fim deste um um outro é já mensageiro do novo no derradeiro que já no primo se ultima escribescravo tinteiro monstro gaio velho contador de lériaslendas aqui acabas aqui desabas aqui abracadabracabas ou abres sésamoteabres e setestrelas cada uma das setechaves sigilando à tua beira à beira-ti beira--nada vocêvoz tutresvariantes tua gaia sabença velhorrevelho contador de palavras de patranhas parêmias parlendas rebarbas falsário de rebates finório de remates useiro de vezos e vezeiro de usos tuteticomigo conosconvosco contingens est quod potest esse et non esse tudo vai nessa foz do livro nessa voz e nesse vós do livro que saltimboca e desemboca e pororoca nesse fim de rota de onde não se volta porque no ir é volta porque no ir revolta a reviagem que se faz de maragem de aragem de paragem de miragem de pluma de aniagem de téssil tecelagem monstrogaio boquirroto emborcando o teu solo mais gárrulo colapsas aqui neste fim-de-livro onde a fala coalha a mão treme a nave encalha mestre garço velhorrevelho mastigador de palavras malgastas malagaxas laxas acabas aquiacabas tresabas sabiscôndito sabedor de nérias com tua gaia sabença teus rébus e rebojos tuas charadas de sonesgas sonegador de fábulas contraversor de fadas loquilouco snobishomem arrotador de vantagem infusor de ciência abstractor de demência mas tua alma está salva tua alma se lava nesse livro que se alva como a estrela mais d'alva e enquanto somes ele te consome enquanto o fechas a chave ele se multiabre enquanto o finas ele translumina essa linguamorta essa moura torta esse umbilifio que te prega à porta pois o livro é teu porto velho faustinfausto mabuse da linguagem persecutado por teus credores mefistofamélicos e assim o fizeste assim o teceste assim o deste e avrà quasi l'ombra della vera costellazione enquanto a mente quase-íris se emparadisa neste multilivro e della doppia danza

galáxias

o formante inicial das *galáxias* (começo/fim: "e começo aqui...") é de 1963; o terminal (fim/começo: "... fecho encerro"), de 1976. texto imaginado no extremar dos limites da poesia e da prosa, pulsão bioescritural em expansão galática entre esses dois formantes cambiáveis e cambiantes (tendo por ímã temático a viagem como livro ou o livro como viagem, e por isso mesmo entendido também como um "livro de ensaios"), hoje, retrospectivamente, eu tenderia a vê-lo como uma insinuação épica que se resolveu numa epifânica.

as *galáxias* começaram a ser publicadas na revista *invenção*, são paulo, nº 4, dezembro de 1964 (13 fragmentos, precedidos de uma breve introdução: "dois dedos de prosa sobre uma nova prosa") e nº 5, dezembro de 1966/janeiro de 1967 (12 fragmentos). um conjunto de 43 fragmentos ("possível figura") foi incluído em *xadrez de estrelas* ("percurso textual", 1949-1974), são paulo, editora perspectiva, 1976. fragmentos avulsos apareceram, aqui e ali, em suplementos literários e em publicações como *flor do mal*, *navilouca*, *polem*, *código*, *qorpo estranho*, que desenham a "marginália" dos anos 70. em portugal, amostras do livro das *galáxias* foram estampadas no caderno *o tempo e o modo do brasil* (lisboa, livraria morais, 1967) e na efêmera revista *nova*, nº 1 (lisboa, inverno de 1975/76), dirigida por herberto helder.

fragmentos das *galáxias* foram traduzidos (prefiro dizer "transcriados") em alemão, francês, espanhol e inglês, quase sempre com a revisão ou a assistência do autor. principais publicações: *versuchsbuch/ galaxien*, dois fragmentos traduzidos por anatol rosenfeld e dois por vilém flusser, mais a introdução (série *rot*, nº 25, cadernos editados por max bense e elisabeth walther, stuttgart, 1966); *galaxies*, seis fragmentos, sendo quatro por inês oseki, um por jean--françois bory e o autor, e um por marco antônio amaral rezende e violante do canto; incluiu-se também uma versão francesa da introdução ("deux doigts de prose sur une nouvelle prose"); o todo compôs uma figura no nº 6, "la poétique/ la mémoire", da revista *change* (paris, seuil, 1970), animada por jean-pierre faye e jacques roubaud; *galaxias*, sete fragmentos traduzidos por héctor olea no nº 42, "avances", da revista *espiral* (madrid, editorial fundamentos, 1978), publicação coordenada por julián ríos; "from *galaxies*", tradução conjunta de norman potter e christopher middleton do fragmento "passatempos e matatempos" ("passtimes and killtimes"), revista *via* (nº 1, maio de 1976, berkeley, california); um fragmento (o formante inicial: "and here i begin...") traduzido por suzanne jill levine na antologia *the plaza of encounters*, organizada por julio ortega e ewing campbell (austin, texas, latitude press, 1981).

haroldo de campos
maio de 1983

galáxias

e começo aqui (18.11.63)
reza calla y trabaja (19.11.63)
multitudinous seas (19.11.63)
no jornalário (jan 64/24.7.64)
mire usted (24.7.64)
augenblick (26.7.64)
sasamegoto (1/2.8.64)
isto não é um livro (2.8.64)
açafrão (3/5.8.64)
ach lass sie quatschen (8.8.64)
amorini (20.8.64)
um avo de estória (4/6.9.64)
esta é uma álealenda (6/7.9.64)
ma non dove (21.2.65)
circuladô de fulô (21/24.2.65)
um depois um (3.3.65)
uma volta inteira (4/12.3.65)
cheiro velho (20/21.3.65)
como quem escreve (23/24.3.65)
não tiravam o chapéu (6/10.5.65)
e brancusi (30.7/1.8.65)
hier liegt (12/13.9.65)
neckarstrasse (20/25.10.65)
a liberdade (7.11.66)
aquele como se chamava (8/10.11.66)
apsara (30/31.12.66)
sob o chapéu (3/4.1.67)
ou uma borboleta (24.3.67)
poeta sem lira (22.4.67)
pulverulenda (30.9/1.10.67)
o que mais vejo aqui (18.10.67)
na coroa de arestas (13.1.68)
mármore ístrio (17/27.1.68)
calças cor de abóbora (30.6/1.7.68)
principiava a encadear-se um epos (2/17.7.68)
eu sei que este papel (out/nov 68)
cheiro de urina (dez 68)
o ó a palavra ó (1.3.69)
circulado de violeta (20.5.69)
como quem está num navio (13/16.7.69)
tudo isto tem que ver (ago/nov 69)
a criatura de ouro (30.11.69)
vista dall'interno (20/21.3.70)
cadavrescrito (6/9.5.70)
mais uma vez (9.7/7.8.70)
esta mulher-livro (29.6/1.7.71)
passatempos e matatempos (jul/ago 72)
nudez (dez 73)
a dream that hath no bottom (mar/set 74)
fecho encerro (nov 75/mar 76)

anexos

ora, direis, ouvir *galáxias*

[texto elaborado por haroldo de campos
para o cd *isto não é um livro de viagem*, 1992]

Iniciei as *galáxias* em 1963 e as concluí em 1976. Sem contar as publicações episódicas na revista *Invenção*, n°s 4 (1964) e 5 (1966-67); as traduções de alguns dos fragmentos para o alemão (1966), francês (1970), espanhol (1978) e inglês (1976, 1981) e a primeira recolha de uma sequência ampla de textos galáticos em *Xadrez de estrelas* (São Paulo, Perspectiva, 1976), só em 1984 pude ver concretizado meu projeto em condições funcionalmente adequadas, graças à Editora Ex Libris, de Frederico Nasser: formato grande, visibilidade de leitura, verso das páginas em branco, fazendo as vezes de silêncio ou pausa intercorrente e perfazendo o total programático de 100 páginas.

Audiovideotexto, videotextogame, as *galáxias* se situam na fronteira entre prosa e poesia. Há neste livro caleidoscópico um gesto épico, narrativo — miniestórias que se articulam e se dissipam com o "suspense" de uma novela policial (Anatol Rosenfeld); mas a imagem acaba por prevalecer, a visão, a vocação para o epifânico. Nesse sentido, o polo poético termina por se impor ao projeto, e o resultado são cinquenta "cantos galáticos", num total de mais de 2.000 versículos (cerca de 40 por página). Este livro permutável tem, como vértebra semântica, um tema sempre recorrente e variado ao longo de todo ele: a viagem como livro e o livro como viagem (embora — e por isso mesmo — não se trate exatamente de um "livro de viagem"...). Dois *formantes*, tipografados em itálico, o inicial (começo-fim: "e começo aqui") e o terminal (fim-começo-recomeço), balizam o jogo de páginas móveis, intercambiáveis à leitura, onde cada fragmento isolado introduz sua "diferença", mas contém em si mesmo, como em linha d'água, a imagem do livro inteiro, que através de cada um pode ser vislumbrada como por um miradouro "aléfico".

A oralização das *galáxias* sempre esteve implícita no meu projeto. À Editora 34 e à sua diretora, Beatriz Bracher, devo agora a oportunidade de manifestar publicamente essa dimensão essencial do meu texto, com o lançamento deste CD (cuidadosamente gravado com a assistência meticulosa do poeta e compositor Arnaldo Antunes), onde estão incluídos os dois *formantes* e catorze dos fragmentos galáticos. Como se verá (como se ouvirá), trata-se de um livro para ser lido em voz alta, que propõe um ritmo e uma prosódia, cujas zonas "obscuras" se transparentam à leitura e cujas palavras, oralizadas, podem ganhar força talismânica, aliciar e seduzir como mantras. Não por acaso convidei o poeta e músico Alberto Marsicano para acompanhar-me ao *sitar* ("cítara"), enquanto eu lia os dois formantes (assim sublinhados): a mobilidade das *ragas* indianas, onde o aleatório é controlado por estruturas de repetição, soa congenial ao meu texto-partitura. No mais, algumas poucas pistas referenciais são suficientes para aclarar o curso galático. Quanto às palavras e frases em outros idiomas — sempre de valor mântrico, "transmental", ainda quando não imediatamente alcançável no nível semântico — essas palavras e frases são, via de regra, traduzidas ou glosadas no contexto, fluindo assim e confluindo para o ritmo do todo.

e começo aqui: Formante inicial. Começo-fim do jogo. A repetição anafórica da conjunção "e" — característica do raconto oral — dá ao movimento do texto uma escansão de versículo bíblico. Gênese (*bere'shith*) do livro.

multitudinous seas: Esta celebração do mar-livro começa por um verso de Shakespeare (*Macbeth*, II, cena II), referência ao mar multitudinoso, que de verde se transmuda em vermelho-sangue, verso da predileção de Ezra Pound e também de Borges. Termina com o vocábulo grego *polüphloisbos* ("polissonoro"), aplicado por Homero (*Ilíada*, I, 34) ao bater das ondas na praia. Odorico Mendes, tradutor "macarrônico" dos poemas homéricos ("a dedirrósea aurora"), é também invocado de passagem, na tradição épico-marinha da língua portuguesa, que remonta a Camões, maneirista, pré-barroco.

calças cor de abóbora: O "Black Power" explodindo em Washington, cidade administrativa, onde velhas funcionárias enchem metodicamente a cara depois do expediente e se distraem da solidão contemplando esquilos nas praças ajardinadas de tulipas. L. B. Johnson "crocodilágrimo", *hippies* protestando, enquanto figuras fantasmáticas de Segal e um "grande nu" hiper-realista compõem uma ambiência "pop". A massa branca, nos seus trajes "cinzaneutros", contrasta com os "zulus guerreiros", atléticos, vestindo cores berrantes; Minnie, a passiva *strip-teaser* branca, é justaposta a Jessie, agressiva, pantera negra de dentes-de-sabre, e tudo fica registrado no livro, "portulano em língua morta".

no jornalário: As *galáxias* não são apenas feitas de epifanias, mas também de antiepifanias. O "raro" e o "reles". Momentos de paraíso e momentos de inferno. Como a vida. Como a história.

cheiro de urina: Salvador, o barroco "mestiço", ibérico e afro-índio ("arte de contraconquista", como quer Lezama Lima). O ouro dos altares e os azulejos "legíveis" dos claustros. A capoeira no mercado das Sete Portas. A festa de Iansã. A alegria da cultura negra e o "espanto do sagrado". A "comida da santa". O convite ao ágape ritual, participatório e propiciatório. De súbito, como um "om" mandálico, ocorre ao interlocutor (latente) uma frase solta, reminiscência culta, o famoso exemplo de "agramaticidade" e "falta de sentido" dado pelo linguista Noam Chomsky ("colorless green ideas sleep furiously), frase que aqui contexualizada revela-se um "achado" poético, imantando-se de cores e sons.

passatempos e matatempos: Uma fábula de "busca", miniaturizada. Em lugar de um "talismã", aqui o objeto da demanda é o próprio "ser" do conto, o "quem" da narração (como se poderia dizer, à maneira de Guimarães Rosa). Scherezada, a Bela Adormecida, um dragão que parece o Jabberwocky de Lewis Carroll, Dânae e sua chuva de ouro, um cisne (mallarmeano: *cygne / signe d'autrefois*) que profere o seu "canto de cisne", fadas, o "bicho malinmaligno" chamado "Verossímil", a "Fata Morgana", Mãe-das-Pedras-Preciosas. Tudo isso concorre para o clima de demanda infinita, busca sem termo que se enrosca no seu próprio desejo, empreendida por uma criança perdida na floresta ("Meuminino").

como quem escreve: Uma outoniça (mas ainda bela) senhora eslava (as vogais do idioma russo são comparadas a "pássaros" e a palavra *ptítsa*, que tem essa significação, é aclimatada ao português). A presença da figura feminina é indiciada no texto pelo termo que lhe qualifica a cor da pele, "majólica". Há um "fio" de história: russa branca, enfermeira de um hospital de campanha, tenta comunicar aos parentes de um jovem soldado alemão, de origem brasileira, que este sofrera amputação das duas pernas, gangrenadas; a carta, por um descuido, cai nas mãos do paciente, que se suicida com um tiro. Um chofer lituano, radicado no Brasil, conta a seu passageiro o que significa a guerra no inverno, para depois perder-se em reminiscências idealizadas da terra natal, da qual saíra fugido. A "majólica" segue palrando, refere-se a um gorro de peles moscovita e ao marido. Aparentemente, tudo se passa numa cama, ao ritmo de um subir (*anábasis*) e de um descer (*katábasis*), cadência elementar, vai e vem orgásmico do mundo (do livro).

sasamegoto: Em japonês "coisa de palavras", vocábulo tão onomatopaico (o significado é o mesmo) quanto o nosso "sussurro" (que deformei expressivamente em "sussúrrio", para abranger também murmúrio). Alusões a haicais de Bashô e de Buson entremeiam o narrado, que equaciona duas viagens: uma, num cenário de primavera, de carruagem; outra, num cenário de inverno, de trem. Ambas evocam uma figura feminina, que parece ser a mesma, transmigrada de um para outro contexto, embora se trate de dois lugares geograficamente remotos entre si: a paisagem japonesa, Kioto com seu "templo dourado", e Praga, junto ao Moldau/Moldava, a "cidade dourada" (*goldene Stadt*). A palavra *aoi* ("azul" em japonês), superpondo-se (ou "subpondo-se") à palavra *ahoj* (em tcheco, uma saudação, "olá") deflagra o "momento da metamorfose" em que as duas linhas tênues de história se intrincam (se intrigam) no texto.

reza calla y trabaja: Granada, 1959, Espanha franquista. No texto há alusões a García Lorca ("en su Granada") e ao poema de Antonio Machado sobre o assassinato do poeta.

circuladô de fulô: "Circulado (cercado) de flor" ou "circulador (no sentido de uma força que faz circular) de flor". A segunda leitura foi a que fez Caetano Veloso, em sua bela canção inspirada neste fragmento, de que tomou conhecimento em 1969, quando eu o li para ele, Dedé, Gil, Sandra e outros amigos, visitando-os no exílio londrino. Ouvi o refrão em João Pessoa, Paraíba, cantado por um esmoler de feira, que havia improvisado um instrumento rústico, cuja vibração lembrava um som "eletrônico". Defesa da inventividade popular ("o povo é o inventa-línguas", Maiakóvski) contra os burocratas da sensibilidade, que querem impingir ao povo, caritativamente, uma arte oficial, de "boa consciência", ideologicamente retificada, dirigida. O texto é construído com técnicas de som e sentido dos "martelos galopados", dos "desafios" dos cantadores nordestinos, reminiscentes, por seu jogo elaborativo, das justas trovadorescas. A "voz" do texto identifica-se com essa criatividade popular e recusa uma tutela (um guia).

na coroa de arestas: Um morto ("Che" Guevara?) na primeira página dos jornais. Não é nomeado diretamente no texto (não se trata de um panfleto), mas indiciado pelas alusões aos "pulmões abrasados de asma", à desconfiança dos camponeses, a Las Higueras, à "velha condutora de cabras", a um diário de campanha (*Tagebuch*) etc. O artista da *praxis*, polindo a sua vontade como um diamante. Segue um tríptico (à maneira de Andy Warhol) dedicado a Marilyn Monroe, vista aqui como uma suicida por náusea, reagindo à "objetificação" a que fora submetida, uma tigresa a cavalo de um bidê fúnebre, macabro triunfo de Vênus. Nesse cenário de mortes dignificadas pela vontade (rigor) e pela náusea (furor: "um cansaço um cansaço um cansaço e uma fúria de cuspo frustro e saliva ensarilhada"), passa uma bala perdida: "drop dead para a mira de um fuzil de dallas", Kennedy, a morte à americana (morto involuntário, abatido por uma conspiração não suficientemente esclarecida), morte mafiosa à medida do *Establishment*, que sabe guardar as aparências.

tudo isto tem que ver: O livro se autodescreve à imagem de um suplício chinês. As "ninfas" de Mallarmé viram "linfas" de um sistema simpático que subjaz ao texto e o rege. Versos de Propércio, famosos por sua magia fônica (*et volucres Veneris, mea turba, columbae / tinguunt Gorgoneo punica rostra lacu*, "e os pássaros de Vênus, o meu bando, pombas / tocam o lago — bicos vermelhos — Gorgôneo"), intercorrem, como que evocados pela imagem do sangue contido em capilares. Segue um retrato (à maneira de James Joyce/Summus Juice) do artista-ratoneiro em suas atividades escriturais/excrementais (intervém o poeta Catulo, na sua alusão estercorária a *cacata carta*). Depois desse "entremez" burlesco-infernal, um momento paradisíaco: o manto de plumas do anjo-donzela do céu de Buda — o *hagoromo* —

deixa-se cair do "céu do céu", assim como, nesta operação do texto, neste mágico ábaco de significantes, "a cabeça rompido o equilíbrio descabeça e cai".

açafrão: Cenário barroco de Roma. Uma tentativa de "conto do vigário". Uma viúva deblaterando contra o "perigo vermelho". Praças e fontes. O Museu Etrusco de Villa Giulia. A Vênus ("dedimármora", à maneira, mais uma vez, de Odorico Mendes) Capitolina. O Forum Romano abandonado pelos deuses. Uma ungarettiana "Signora Andrea" (o "oro velino" alude à textura da pele) preside à imagem do livro, que se articula como uma escultura portátil (*da viaggio*, "para viagem"), a exemplo daquelas concebidas pelo futurista-construtivista Bruno Munari.

aquele como se chamava: Um casal jovem, judeus americanos, com suas crianças, na cidade do México, faz uma excursão de carro a Toluca. O narrador, que lhes serve de intérprete, nada pode fazer para amenizar a teimosia do americano, que conduz atabalhoadamente seu veículo alugado pelas ruas e rodovias mexicanas. Palavras astecas, visões e reminiscências de gente e paisagem, constelam a narração, o "textoviário". A morte, a mirada lorquiana da morte, vai-se insinuando no fluxo do texto, até o desfecho (um acidente na estrada visualizado em câmara lenta) e a eufórica afirmação da vida, no júbilo da sobrevivência.

nudez: Uma "tautodisseia" (Odisseia tautológica). Um Ulisses "solitudinário", como um "bicho-tênia", faz uma viagem sem volta, às voltas com seu "intestino escritural". A essa metáfora do trabalho interior do texto, sobre(sub)põe-se uma caricatura do episódio de Circe, ambientado agora em uma casa de massagens novaiorquina, onde a deusa "benecomata" (de belo penteado) é convertida numa "beneconata" *masseuse*, Miss Pussy. A frase de Mallarmé, o solitário de Valvins, reagindo contra a incompreensão dos contemporâneos ("et devant l'agression rétorquer que des contemporains ne savent pas lire"), atravessa, entrecortadamente, o texto, que culmina numa visão à Hieronymus Bosch: um "grande rebanho de orelhas varicosas". E num apelo: "ouver" (ecoando um "mote" de Décio Pignatari: "o olhouvido ouvê"). Um texto quer também "construir" o seu leitor.

fecho encerro: As *galáxias*, num nível essencial, são uma "defesa e ilustração da língua portuguesa", a partir da condição *latinoamarga*. À medida que a viagem textual se desenrola, o *idiomaterno* ("essa língua morta essa moura torta esse umbilifio que te prega à porta") vai mostrando toda a sua capacidade de metáfora e metamorfose, inclusive por apropriação e expropriação de outras línguas, por transgressão e transcriação, lançando-se a um "excesso ainda mais excessivo", mesmo quando comparado ao de seus predecessores (é assim que Lezama vê o barroco americano em relação ao de Gôngora). Este último fragmento (*formante* 2) é posto sob a invocação de Camões ("Não mais, Musa, não mais, que a lira tenho / Destemperada, e a voz enrouquecida", *Lusíadas*, X, cxlv) e de Dante (*Paradiso*, XIII, 19-20). A "tarefa impossível" de escrever um "livro absoluto" (o projeto de Mallarmé), ao mesmo tempo celebrada e posta, rabelaisianamente, em derrisão nas *galáxias*, acaba, no entanto, por se perfazer no plano humano (vale dizer, no plano do provisório), no momento em que o "faustinfausto" escritor/escriba, para salvar sua alma, apresenta aos seus "credores mefistofamélicos" o livro feito, tecido, dado ("assim o fizeste assim o teceste assim o deste"). Um "multilivro" no qual a mente "se emparadisa", pois, se ainda não é, nem pode ser, a "verdadeira constelação"; se ainda não lhe dobra, como um dúplice, a dança, já é "quase" a sua sombra... E aqui a "voz" do texto presta tributo a Dante, falando italiano, como o autor da *Commedia* apresenta Arnaut Daniel, "il miglior fabbro", falando provençal...

nota biográfica

Haroldo de Campos (1929-2003) foi um dos escritores brasileiros de maior atuação no cenário literário nacional e internacional no século XX. Formado em 1952 pela Faculdade de Direito do Largo São Francisco, em São Paulo, foi, nos anos 50 e 60, um dos idealizadores do movimento da poesia concreta, ao lado de Augusto de Campos e Décio Pignatari. Desde sua primeira viagem ao exterior (1959), estabeleceu contatos com renomados poetas, artistas e intelectuais estrangeiros. Nessa ocasião, conheceu Karlheinz Stockhausen, no estúdio de Música Eletrônica da Rádio de Colônia, e Ezra Pound em Rapallo. Em 1966, participou, a convite do PEN American Center, do encontro de escritores presidido por Marshall McLuhan, em Nova York. Em 1971, recebeu a Bolsa Guggenheim. Julio Cortázar fez dele um dos personagens de *Un tal Lucas* (1979). Do longo convívio com Roman Jakobson, resultou o ensaio do linguista russo intitulado "Carta a Haroldo de Campos sobre a textura poética de Martin Codax". Em 1990, obteve o título de Professor Emérito pela PUC-SP, onde foi professor na pós-graduação entre 1973 e 1989. Jacques Derrida dedicou-lhe um texto onde se lê que, "no horizonte da literatura, e antes de tudo na intimidade da língua das línguas, cada vez tantas línguas em cada língua, sei que Haroldo a tudo isso terá tido acesso como eu antes de mim, melhor que eu" (1996). A Universidade de Montréal no Canadá conferiu-lhe o título de doutor *honoris causa* (1996). Foi o ganhador do prêmio Octavio Paz, no México, em 1999. Nesse mesmo ano, as Universidades de Yale (onde Haroldo de Campos lecionou em 1978) e de Oxford organizaram conferências sobre sua obra, comemorando seus setenta anos. Em 2002, o museu Guggenheim de Nova York prestou-lhe homenagem com um ciclo de debates e leituras de que participaram, entre outros, Marjorie Perloff e Charles Bernstein. Umberto Eco considerou-o "o maior tradutor moderno de Dante" ("La scomparsa di un poeta", *L'Espresso*, 4/9/2003). Além dos mais de 30 livros que publicou (de sua autoria pessoal ou em colaboração), Haroldo de Campos deixou, entre traduções e ensaios, um grande número de inéditos, que vão da poesia neogrega à náuatle, passando por escritores como Júlio Ribeiro e Victor Hugo, sobre o qual preparava um livro (*Hélas, Victor Hugo!*). Sua produção mais recente incluía transcriações de poemas egípcios, cujo idioma estudava, amparado por uma vasta bibliografia especializada, adquirida sobretudo na última viagem que fez a Berlim, quando participou de um simpósio sobre Alexander von Humboldt (1999).

bibliografia de haroldo de campos

textos criativos

Auto do possesso: poemas. São Paulo: Cadernos do Clube de Poesia, Novíssimos, nº 3, 1950.

Servidão de passagem (poema-livro). São Paulo: Noigandres, 1962. Tradução para o japonês publicada no catálogo *Sogetsu Art Center Journal* em 20/6/1964. Tradução para o italiano publicada na revista *Baldus*, ano VI, nº 5, Treviso, 1996.

Xadrez de estrelas: percurso textual 1949-1974. São Paulo: Perspectiva, 1976 (Coleção Signos); 2ª ed., 2008. Tradução parcial para o espanhol, *Transideraciones* (organização e tradução de Eduardo Milán e Manuel Ulaciae), Cidade do México: El Tucán de Virginia/Fundación E. Gutman, 1987; 2ª ed. ampliada, Cidade do México: El Tucán de Virginia/Fundación Octavio Paz/Consejo Nacional para la Cultura y las Artes, 1999.

Signantia: quasi coelum — Signância: quase céu. São Paulo: Perspectiva, 1979 (Coleção Signos).

Galáxias. São Paulo: Ex Libris, 1984; 2ª ed. (inclui o CD *Isto não é um livro de viagem*), São Paulo: Editora 34, 2004; 3ª ed., 2011. Tradução integral para o francês por Inês Oseki-Dépré, *Galaxies*, La Souterraine: La Main Courante, 1998 (Prêmio Roger Caillois, *ex-aequo* com Juan José Saer, Paris, Maison de l'Amérique Latine). Tradução integral para o espanhol por Reynaldo Jiménez, *Galaxias*, Montevidéu: La Flauta Mágica, 2010.

A educação dos cinco sentidos. São Paulo: Brasiliense, 1985; 2ª ed. ampliada, com organização de Ivan Campos, incluindo CD com leitura de poemas por Christopher Middleton e Haroldo de Campos, São Paulo: Iluminuras, 2013. Tradução parcial para o francês por Luiz Carlos Rezende, *L'éducation des cinq sens*, Paris: Plein Chant, 1989. Tradução para o espanhol por Andrés Sánchez Robayna, *La educación de los cinco sentidos* (edição bilíngue), Barcelona: Ambit, 1990.

Finismundo: a última viagem. Ouro Preto: Tipografia do Fundo de Ouro Preto, 1990. Tradução para o espanhol por Andrés Sánchez Robayna, *Finismundo: el último viaje*, Málaga: Montes, 1992 (Coleção Newman/Poesia). Tradução para o francês por Inês Oseki-Dépré publicada em *Une anthologie immédiate* (organização de Henri Deluy), Paris: Fourbis/Biennale Internationale des Poètes en Val-de-Marne, 1996, e em *Traduction & poésie* (organização de Inês Oseki-Dépré), Paris: Maisonneuve & Larose, 2004.

Yugen: cuaderno japonés (tradução para o espanhol por Andrés Sánches Robayna). Tenerife: Syntaxis, 1993. *Yugen: cahier japonais* (tradução para o francês por Inês Oseki-Dépré), La Souterraine: La Main Courante, 2000.

Gatimanhas e felinuras (com Guilherme Mansur). Ouro Preto: Tipografia do Fundo de Ouro Preto, 1994.

Konkrét versek (tradução para o húngaro por Petöcz András e Pál Ferenc). Budapeste: Íbisz, 1997.

Crisantempo: no espaço curvo nasce um. São Paulo: Perspectiva, 1998; 2ª ed., 2004 (inclui CD). Tradução para o espanhol por Andrés Sánchez Robayna, *Crisantiempo*, Barcelona: El Acantilado, 2006.

A máquina do mundo repensada. São Paulo: Ateliê, 2000.

textos críticos e teóricos

Re visão de Sousândrade: textos críticos, antologia, glossário, biobibliografia (com Augusto de Campos). São Paulo: Invenção, 1964; 2ª ed. ampliada, Rio de Janeiro: Nova Fronteira, 1982; 3ª ed. ampliada, São Paulo: Perspectiva, 2002 (Coleção Signos).

Teoria da poesia concreta: textos críticos e manifestos 1950-1960 (com Augusto de Campos e Décio Pignatari). São Paulo: Invenção, 1965; 2ª ed., São Paulo: Duas Cidades, 1975; 3ª ed., São Paulo: Brasiliense, 1987; 4ª ed., São Paulo: Ateliê, 2006; 5ª ed., 2014.

Sousândrade: poesia (organização com Augusto de Campos). Rio de Janeiro: Agir, 1966 (Coleção Nossos Clássicos); 3ª ed. revista e ampliada, 1995.

Oswald de Andrade: trechos escolhidos (organização). Rio de Janeiro: Agir, 1967 (Coleção Nossos Clássicos).

Metalinguagem: ensaios de teoria e crítica literária. Petrópolis: Vozes, 1967; 2ª ed., 1970; 3ª ed., São Paulo: Cultrix, 1976; 4ª ed. revista e ampliada, *Metalinguagem e outras metas*, São Paulo: Perspectiva, 1992 (Coleção Debates); 3ª reimpr., 2010.

A arte no horizonte do provável e outros ensaios. São Paulo: Perspectiva, 1969 (Coleção Debates); 2ª ed., 1972; 3ª ed., 1975; 4ª ed., 1977; 5ª ed., 2010.

Guimarães Rosa em três dimensões (com Pedro Xisto e Augusto de Campos). São Paulo: Conselho Estadual da Cultura/Comissão de Literatura, 1970 (texto de Haroldo de Campos: "A linguagem do Iauaretê").

Obras completas de Oswald de Andrade (introdução crítica aos vols. 2 e 7). Rio de Janeiro: Civilização Brasileira, 1971 e 1972.

Morfologia do Macunaíma. São Paulo: Perspectiva, 1973 (Coleção Estudos); 2ª ed., 2008.

Ideograma: lógica, poesia, linguagem (organização e ensaio introdutório, "Ideograma, anagrama, diagrama"). São Paulo: Cultrix, 1977; 2ª ed., 1986; 3ª ed., São Paulo: Edusp, 1994; 4ª ed., 2000.

A operação do texto. São Paulo: Perspectiva, 1976 (Coleção Debates); 2ª ed. revista e ampliada, *A reoperação do texto*, 2013.

Ruptura dos gêneros na literatura latino-americana. São Paulo: Perspectiva, 1977 (Coleção Elos).

Deus e o diabo no Fausto de Goethe. São Paulo: Perspectiva, 1981; 4ª reimpr., 2008.

O sequestro do barroco na formação da literatura brasileira: o caso Gregório de Mattos. Salvador: Fundação Casa de Jorge Amado, 1989; 2ª ed., São Paulo: Iluminuras, 2011.

O livro de Jó (introdução crítica e fixação do texto da tradução de 1852 de Elói Ottoni). São Paulo: Giordano/Loyola, 1993.

Sobre Finismundo: a última viagem. Rio de Janeiro: 7 Letras, 1996.

Três (re)inscrições para Severo Sarduy. São Paulo: Memorial da América Latina, 1995; 2ª ed., 1999.

Os sertões dos Campos: duas vezes Euclides (com Augusto de Campos). Rio de Janeiro: 7 Letras, 1997.

O arco-íris branco: ensaios de literatura e cultura. Rio de Janeiro: Imago, 1997. Tradução para o espanhol, *Dal arco iris blanco*, Buenos Aires: Adriana Hidalgo, 2006.

De la razón antropofágica y otros ensayos (seleção, tradução e prólogo de Rodolfo Mata). Cidade do México: Siglo Veintiuno, 2000.

Ulisses: a travessia textual (edição comemorativa do Bloomsday, com coordenação de Haroldo de Campos, Munira Mutran e Marcelo Tápia). São Paulo: Olavobrás/ABEI, 2001.

Junijornadas do Senhor Dom Flor (edição comemorativa do Bloomsday, com coordenação de Haroldo de Campos, Munira Mutran e Marcelo Tápia). São Paulo: Olavobrás/ABEI, 2002.

Depoimentos de Oficina. São Paulo: Unimarco, 2003.

Entremilênios (organização de Carmen de Paula A. Campos). São Paulo: Perspectiva, 2009; 1ª reimpr., 2010.

O segundo arco-íris branco (organização de Carmen de Paula A. Campos e Thelma M. Nóbrega). São Paulo: Iluminuras, 2010.

Transcriação (organização de Marcelo Tápia e Thelma M. Nóbrega). São Paulo: Perspectiva, 2013 (Coleção Estudos).

transcriações

Cantares de Ezra Pound (com Augusto de Campos e Décio Pignatari). Rio de Janeiro: MEC/Serviço de Documentação (coleção dirigida por Simeão Leal), 1960.

Panaroma do Finnegans Wake de James Joyce (com Augusto de Campos). São Paulo: Conselho Estadual da Cultura, 1962; 2ª ed., São Paulo: Perspectiva, 1971; 3ª ed., 1986; 4ª ed. revista e ampliada, 2001.

Maiakóvski: poemas (com Augusto de Campos e Boris Schnaiderman). Rio de Janeiro: Tempo Brasileiro, 1967; 2ª ed., São Paulo: Perspectiva, 1982; 5ª ed., 1992; 4ª reimpr., 2008.

Poesia russa moderna (com Augusto de Campos e Boris Schnaiderman). Rio de Janeiro: Civilização Brasileira, 1968; 2ª ed., São Paulo: Brasiliense; 4ª ed., 1985; 6ª ed. revista e ampliada, São Paulo: Perspectiva, 2001; 2ª reimpr., 2012.

Ezra Pound: antologia poética. Lisboa: Ulisseia, 1968; 2ª ed., *Ezra Pound: poesia* (com Augusto de Campos, Décio Pignatari, José Lino Grünewald e Mário Faustino), São Paulo/Brasília: Hucitec/UnB, 1985; 3ª ed., 1993.

Traduzir e trovar (com Augusto de Campos). São Paulo: Papyrus, 1968.

Mallarmé (com Augusto de Campos e Décio Pignatari). São Paulo: Perspectiva, 1974 (Coleção Signos); 2ª ed., 1980; 3ª ed. ampliada, 2002.

Dante: seis cantos do Paraíso. Recife: Gastão de Holanda Editor, 1976 (edição limitada de 100 exemplares ilustrada com 10 litografias de João Câmara Filho); 2ª ed., Rio de Janeiro: Fontana/Istituto Italiano di Cultura, 1978.

Transblanco: em torno a Blanco de Octavio Paz (com Octavio Paz). Rio de Janeiro: Guanabara, 1986; 2ª ed. ampliada, São Paulo: Siciliano, 1994.

Qohélet — O-que-sabe (Eclesiastes). São Paulo: Perspectiva, 1990 (com a colaboração de Jacó Guinsburg); 2ª ed., 1991; 1ª reimpr., 2004.

Bere'shith: a cena da origem (e outros estudos de poética bíblica). São Paulo: Perspectiva, 1993; 2ª ed., 2000.

Hagoromo de Zeami: o charme sutil (teatro clássico japonês, edição bilíngue). São Paulo: Estação Liberdade, 1993 (com a colaboração de Darcy Yasuco Kusano e Elsa Taeko Doi); 2ª ed., 2006.

Mênis: a ira de Aquiles (Canto I da *Ilíada* de Homero, edição bilíngue, com ensaio de Trajano Vieira). São Paulo: Nova Alexandria, 1994.

Escrito sobre jade (22 poemas clássicos chineses, edição bilíngue). Ouro Preto: Tipografia do Fundo de Ouro Preto, 1996; 2ª ed., com organização de Trajano Vieira, São Paulo: Ateliê, 2010.

Pedra e luz na poesia de Dante (edição bilíngue). Rio de Janeiro: Imago, 1998.

Os nomes e os navios (Canto II da *Ilíada* de Homero, com organização, introdução e notas de Trajano Vieira; tradução e ensaio crítico por Haroldo de Campos; tradução de Odorico Mendes, 1874). Rio de Janeiro: 7 Letras, 1999.

Ilíada de Homero, vol. 1 (organização e introdução de Trajano Vieira). São Paulo: Mandarim, 2001; 2ª ed., São Paulo: Arx, 2002; 3ª ed., 2002; 4ª ed., 2003; 5ª ed., São Paulo: Benvirá, 2010.

Ilíada de Homero, vol. 2 (organização de Trajano Vieira). São Paulo: Arx, 2002; 2ª ed., 2003; 3ª ed., São Paulo: Benvirá, 2010.

Ungaretti: daquela estrela à outra (com Aurora Bernardini; organização de Lucia Wataghin). São Paulo: Ateliê, 2004.

Éden: um tríptico bíblico. São Paulo: Perspectiva, 2004.

Poemas de Konstantinos Kaváfis (organização e posfácio de Trajano Vieira). São Paulo: Cosac Naify, 2012.

principais antologias

Antologia Noigandres (com Augusto de Campos, Décio Pignatari, Ronaldo Azeredo e José Lino Grünewald, edição especial da revista *Noigandres*, nº 5). São Paulo: Edição dos Autores/Massao Ohno, 1962.

Os melhores poemas de Haroldo de Campos (seleção de Inês Oseki-Dépré). São Paulo: Global, 1992; 2ª ed., 1997; 3ª ed., 2000; 1ª reimpr., 2005.

Galaxia concreta (com Augusto de Campos e Décio Pignatari; organização de Gonzalo Aguiar). Cidade do México: Universidad Iberoamericana/ Artes de México, 1999 (Colección Poesía y Poética).

Brasil transamericano (organização e tradução de Amalia Sato). Buenos Aires: El Cuenco de Plata, 2004.

Haroldo de Campos: une anthologie (organização e tradução de Inês Oseki-Dépré). Paris: Éditions Al Dante, 2005.

Novas: selected writings of Haroldo de Campos (organização e tradução de Antônio Sérgio Bessa e Odile Cisneros; prefácio de Roland Greene). Evanston: Northwestern University Press, 2007.

obras sobre haroldo de campos

Espacio/Espaço Escrito. Revista de literatura en dos lenguas, nºs 21 e 22, Badajoz, 2002 (dossiê "Presencia de Haroldo de Campos", organizado por Andrés Sánchez Robayna; inclui o encarte ILM AGO DELL' OM EGA, de Haroldo de Campos, ilustrado por Regina Silveira).

Haroldo de Campos, don de poesía: ensayos críticos sobre su obra y una entrevista (organização de Lisa Block de Behar). Lima: Universidad Católica Sedes Sapientiae, 2004; 2ª ed., Montevidéu: Linardi y Risso, 2009.

Céu acima: para um "tombeau" de Haroldo de Campos (organização de Leda Tenório da Motta; inclui CD). São Paulo: Perspectiva, 2005.

Haroldo de Campos: a dialogue with the Brazilian concrete poet (organização de Kenneth David Jackson). Oxford: Centre for Brazilian Studies/ Oxford University, 2005.

Haroldo de Campos in conversation. In memoriam 1929-2003. London: Zoilus Press, 2009 (organização de Else Ribeiro Pires Vieira e Bernard McGuirk).

Signâncias: reflexões sobre Haroldo de Campos (organização de André Dick). São Paulo: Risco Editorial, 2010.

Haroldo de Campos, Marcos Siscar. Rio de Janeiro: EDUERJ, 2015.

cds

Circuladô (CD de Caetano Veloso; faixa "Circuladô de fulô"). Rio de Janeiro: PolyGram, 1991.

Canções (CD de Péricles Cavalcanti; faixa "Ode primitiva"). Rio de Janeiro: PolyGram, 1991.

Isto não é um livro de viagem (com 16 fragmentos de *Galáxias* oralizados pelo autor, com participação especial do citarista Alberto Marsicano). São Paulo: Editora 34, 1992.

O paulista adora a Paulista (participação com Péricles Cavalcanti em uma das faixas). São Paulo: Banco Nacional, 1992.

Espaços habitados (composição de Conrado Silva sobre textos de *Galáxias*, com Anna Maria Kieffer e Conrado Silva). São Paulo: Laboratório de Linguagens Sonoras da PUC-SP/Fundação Vitae, 1994.

Lobo solitário (CD de Edvaldo Santana; faixa "Torto", com Edvaldo Santana e Haroldo de Campos). São Paulo: Camerati, 1993.

Barulhinho bom: uma viagem musical (CD e vídeo de Marisa Monte; faixa "Blanco", fragmento do poema de Octavio Paz em transcriação de Haroldo de Campos). Rio de Janeiro: EMI, 1996.

Cadumbra (CD e livro da escultora Denise Milan, com metapoemas, textos e oralização de Haroldo de Campos). São Paulo: Difusão Cultural do Livro, 1997.

Madan (CD de Madan; faixas "Mundo livre", "Improviso Li Tai Po" e "Refrão à maneira de Brecht"; participação especial de Haroldo de Campos na faixa 17). São Paulo: Dabliú Discos, 1997.

Haroldo de Campos — Crisantempo. São Paulo: Cia. de Audio, 1998.

12 poemas para dançarmos (trilha sonora de Cid Campos; faixa "Rimas petrosas"). São Paulo: MC2 Studio.

Poesia paulista — 12 canções (direção e coordenação de Dante Pignatari; faixa "Anamorfose", de A. Picchi e Haroldo de Campos). São Paulo: ECA-USP, 1998.

Baião metafísico (CD de Péricles Cavalcanti; faixa "Ode primitiva"). São Paulo: Trama, 2000.

Música nova para vozes (CD do Madrigal Ars Viva; composições de Gilberto Mendes; regência de Roberto Martins; faixas "O anjo esquerdo da história" e "Nascemorre"). Rio de Janeiro: EMI, 2000.

Constelário (CD de Lica Cecato; faixa "Constelário para Antonio Dias"). Rio de Janeiro: Mix House, 2000.

No lago do olho (CD de Cid Campos; faixa "Crisantempo"). São Paulo: Dabliú Discos, 2001.

Konkrete Poesie — Sound Poetry — Artikulationen (relançamento em CD da gravação do espetáculo organizado por Anastasia Bitzos na Kunsthalle de Berna em 1966, com Claus Bremer, Ernst Jandl, Eugen Gomringer, Franz Mon, Haroldo de Campos, Lily Greenham, Max Bense, Paul De Vree, Reinhard Döhl e Rolf Geissbühler). Suíça: s/n, 2004.

vídeos

Galáxia albina, direção de Júlio Bressane, Betacam, 40', 1990.

Infernalário: logodédalo (galáxia dark), direção de Júlio Bressane, Betacam, 40', 1990.

Poetas de Campos e espaços: Noigandres, direção de Cristina Fonseca, São Paulo, TV Cultura, 1992.

Xilo VTE/Elogio da xilo (com oralizações de Haroldo de Campos, Arnaldo Antunes e Bete Coelho, acompanhado de livro-objeto com xilografias de Maria Bonomi, em edição limitada de 64 exemplares), direção de Walter Silveira, NTSC, 11'15, 1994.

Homenagem a Haroldo de Campos: Cinquentenário da PUC-SP, Vídeo PUC, 1996.

O acaso, vídeo da série "Diálogos Impertinentes", com o físico Luís Carlos de Menezes, São Paulo, TV PUC-SP/Folha de S. Paulo, 1996.

Programa Espaço Aberto, entrevista com Pedro Bial, São Paulo, TV Cultura, 1997.

Programa Roda Viva, coordenação de Jaime Martins, moderação de Matinas Suzuki, com João Alexandre Barbosa, Augusto Massi, Leão Serva e outros, São Paulo, TV Cultura, 28/10/1998.

Programa Expresso Brasil, "A São Paulo de Haroldo de Campos", São Paulo, TV Cultura.

Pinturas para pisar, dança com performance de Ana Lívia Cordeiro e Gícia Amorim com oralização do texto de Haroldo de Campos e pinturas por Aldir Mendes de Souza, São Paulo, 2002.

Galáxia Haroldo, especial da TV Cultura com gravação da homenagem a Haroldo de Campos realizada no TUCA, São Paulo, em 20/10/2003.

cinema

Sermões: a história de Antônio Vieira, direção de Júlio Bressane, assessoria poética e leitura de trechos de *Galáxias* por Haroldo de Campos, 35 mm, 80', 1989.

Glauberélio-Heliglauber (encontro imaginário entre Glauber Rocha e Hélio Oiticica), direção de Ivan Cardoso, roteiro de Haroldo de Campos, 1997.

teatro

A cena da origem, direção de Bia Lessa, São Paulo, Teatro Mars, 1989.

Hagoromo: o manto de plumas (peça do teatro clássico Nô), direção de Alice K, São Paulo, Teatro SESC, 1995.

Pré-Fausto (Graal) (bufotragédia, primeira parte de uma projetada "Trilogia Fáustica"), direção de Gerald Thomas, com Bete Coelho, Rio de Janeiro, Teatro Carlos Gomes, 1997.

Este livro foi composto em Sabon pela
Bracher & Malta, com CTP e impressão da
Bartira Gráfica e Editora em papel Alta Alvura 90 g/m²
da Cia. Suzano de Papel e Celulose para a
Editora 34, em março de 2021.